INÈS
DE CASTRO

*Collection dirigée
par Nicole Bon et Daniel Arsand*

Madame de Genlis

INÈS
DE CASTRO

BALLAND

Note biographique

Félicité Ducrest de Saint-Aubin est née le 25 janvier 1746 au manoir de Champcéry, non loin d'Autun, d'une famille de noblesse bourguignonne.

A sept ans, elle est chanoinesse au chapitre noble de Saint-Denis d'Alix et à dix-sept elle épouse le comte de Genlis qui appartenait à une brillante famille. Mariage d'abord secret, célébré en l'église Saint-André-des-Arts et qui fait scandale dans les milieux auxquels appartient Charles-Alexis Bruslart de Genlis. Il lui faut attendre quatre ans pour être admise dans cette société.

Installée à Genlis, elle commence à écrire : *Les confessions d'une mère de vingt ans*, sont rédigés avant même la naissance de sa fille Caroline (1765). Elle a une seconde fille, Pulchérie, en 1766.

Mais c'est au printemps 1766 qu'elle est lancée dans le grand monde lorsqu'elle accompagne sa tante, Madame de Montesson, à l'Isle-Adam, chez le prince de Conti. Elle mène alors une vie mondaine, lit beaucoup, fait de la musique et joue des pièces, la vogue du théâtre de société battant son plein à ce moment-là. Très tôt elle s'intéresse à la vie littéraire, fréquente en particulier Rousseau.

En 1772, elle entre au Palais-Royal comme dame d'honneur de la duchesse de Chartres. Presque aussitôt elle devient la maîtresse du duc de Chartres, le fils du duc d'Orléans que Madame de Montesson épouse secrètement. Là, elle tient un salon, écrit plusieurs pièces de théâtre, exerce à coup sûr une influence occulte très importante. Il lui arrive aussi de voyager en Italie et en Suisse, où elle rencontre Voltaire, à l'égard duquel elle nourrissait des préventions.

En 1779, elle se retire en pleine jeunesse – elle a trente-trois ans – dans le couvent de Bellechasse pour se consacrer à l'éducation des filles du duc de Chartres. Elle devient leur gouvernante puis est nommée " gouverneur " des fils du duc, en particulier du futur roi Louis-Philippe.

C'est à ce moment-là qu'elle commence à publier ses premières œuvres : *Adèle et Théodore ou Lettres sur l'éducation*, les *Annales de la vertu* etc. Elle rend compte de son expérience pédagogique dans les *Leçons d'une gouvernante à ses élèves*. L'enseignement à Bellechasse est marqué par l'extraordinaire variété des disciplines traditionnelles (littérature, histoire, etc.) mais est aussi très novateur. Elle accorde une place importante aux langues vivantes, aux travaux manuels, aux exercices physiques, aux arts. Elle donne elle-même des leçons de musique.

A la même époque elle rédige des ouvrages d'apologétique chrétienne en réponse aux philosophes, fréquente la cour, mais n'aime guère Marie-Antoinette. L'influence de Choderlos de Laclos au Palais-Royal marque un certain déclin de son pouvoir. Dans son salon de Bellechasse elle reçoit de nombreuses personnalités ouvertes aux idées nouvelles.

S'il est vrai qu'elle a assisté du haut de la terrasse de Beaumarchais à la prise de la Bastille, si elle a applaudi aux premières étapes de la Révolution, elle s'est très vite inquiétée de la montée de la violence. Elle quitte Paris et va mener une vie d'errance à l'étranger, en Belgique, en Suisse, en Allemagne. Son mari et son amant, Philippe-Egalité, meurent tous deux sur l'échafaud.

En 1800, elle rentre en France, s'installe à l'Arsenal et Napoléon, en 1805, lui accorde une pension de 6 000 francs. Elle devient sa " correspondante " : Napoléon la charge de lui envoyer de temps à autre des lettres sur la morale, la politique, les finances, etc.

Elle se remet alors à publier et reconquiert la célébrité. Ses ouvrages, nouvelles, romans, contes, essais sont édités au rythme de plusieurs par an. Ses *Mémoires* comptent parmi les témoignages les plus intéressants de son époque. Citons *Mademoiselle de Clermont* (1802), *La duchesse de la Vallière* (1804), *Madame de Maintenon* (1806), *Les Battuecas* (1816), *Les dîners du baron d'Holbach* (1822), *Les athées conséquents* (1824), *Inès de Castro (1826), Les soupers de la maréchale de Luxembourg* (1828), *Le dernier voyage de Nelgis ou Mémoires d'un vieillard* (1828).

Elle meurt à près de quatre-vingt-cinq ans le 31 décembre 1830, peu de temps après l'accession au trône de Louis-Philippe.

Parmi les très nombreux ouvrages qu'elle a inspirés, on peut recommander la lecture de *Madame de Genlis,* de Gabriel de Broglie (Perrin, 1985).

Les femmes dont le cœur est sensible et l'imagination vive sont rarement de véritables moralistes avec leurs enfants, leurs pupilles, leurs élèves, alors même que leurs principes et leurs intentions sont d'une parfaite pureté ; plus elles ont de charme dans le caractère, de grâce dans l'esprit et de naturel, et plus communément elles sont sujettes à oublier l'austérité ou du moins la prudente retenue de la morale dans les longs entretiens où elles sont écoutées avec plaisir.

Retirée depuis vingt ans au fond d'un antique château, dans la province de Beira en Portugal, Mélinda de Mendoce, après avoir successivement perdu son époux et sa fille unique, se consacrait entièrement à l'éducation de la jeune Inès, sa petite-fille, dont elle était tutrice. Mélinda avait passé à la cour une grande partie de sa vie, en y conservant des mœurs pures et des principes qui ne s'étaient jamais démentis : elle y avait eu de brillants succès par sa beauté, son esprit et ses talents. Il y a bien peu de femmes de soixante ans qui ne désire en secret que l'on n'oublie pas tout à fait les succès de sa jeunesse qu'elle peut se rappeler sans rougir. Avec de l'esprit et du goût, les anciens militaires et les vieilles femmes ne se vantent jamais mal à propos de leurs triomphes passés ; mais ils ne laissent guère échapper une occasion d'en parler naturellement.

Mélinda n'avait pas été impunément belle et spirituelle ; l'envie, la méchanceté et la calomnie avaient plus d'une fois troublé sa tranquillité elle connaissait toutes les peines que peuvent faire éprouver à une âme sensible et fière les injustices, les animosités sans sujet, les intrigues de la cour, et les amis légers ou perfides. Vivement frappée des écueils qui dans le monde environnent une jeune personne, elle avait un désir sincère d'inspirer à Inès le goût de la solitude et un grand éloignement pour le monde ; mais, en lui peignant ses dangers, elle lui peignait aussi ses plaisirs. Elle avait beau l'assurer que le bal est fatigant, que la représentation est ennuyeuse, qu'on ne trouve à la cour qu'un brillant esclavage, Inès n'écoutait que les descriptions qui lui paraissaient charmantes, et que son imagination embellissait encore. Elle questionnait sa grand-mère, qui lui faisait le détail des fêtes qu'elle avait vu donner pendant quarante ans, et qui n'oubliait pas celles dont elle avait été l'objet, ni même les parures éclatantes qu'elle y portait. Il est vrai qu'elle terminait toujours ces récits en assurant Inès qu'une promenade dans une prairie ou dans un bois est mille fois préférable à tous ces vains amusements. Elle avait raison ; mais Inès avait vu tant de prairies ! elle ne connaissait ni la cour ni le monde : on lui répétait que ce monde était tumultueux, frivole, dangereux ; ce qui, loin de l'effrayer, excitait en elle une vive curiosité. Enfin on avouait qu'on y trouvait une pompe imposante, des fêtes d'une grande magnificence, une élégance séduisante, une extrême variété de plaisirs, un luxe insensé, mais éclatant ; et la jeune Inès, qui ne prêtait qu'une attention légère aux réflexions morales et aux épithètes dénigrantes, se faisait une idée délicieuse de cette « méprisable » frivolité, de cette dissipation « fatigante », et de ce luxe « extravagant », dont la peinture ne laissait dans son imagination que des tableaux riants et magiques.

Inès avait une éclatante beauté qui faisait souvent soupirer sa grand-mère ; car Mélinda ne pouvait surmonter un sentiment pénible en pensant que cette figure ravissante ne brillerait jamais à la cour. Mélinda avait trop de raison pour ne pas savoir combien la beauté est un don frivole ; mais cet avantage est le plus séduisant de tous. Mélinda, malgré elle, n'en était que trop touchée ; mille fois, en regardant Inès, elle s'écria de premier mouvement : « Quel bruit ferait cette figure-là dans le monde ! » Et puis elle déclamait contre ce genre de vanité ; elle disait là-dessus d'excellentes choses, elle les pensait. Mais elle avait appris à Inès qu'elle avait une beauté incomparable. Inès savait que cette beauté, faite pour tourner toutes les têtes, produirait à la cour la plus vive sensation ; que sa grand-mère la contemplait avec délice, et qu'elle l'aimait mieux que si elle n'eût reçu qu'une figure ordinaire. Mélinda était bien décidée à soustraire Inès aux dangers du grand monde, et sa beauté même l'affermissait dans cette résolution ; néanmoins, lorsqu'elle fixait les yeux sur elle, cette idée sage l'attendrissait douloureusement. Quelle est la femme toujours d'accord avec elle-même ? Les femmes ne peuvent exciter un enthousiasme universel et subit que par la séduction de la beauté, des talents et des grâces ; les plus raisonnables, en dédaignant ces hommages frivoles, ne les reçoivent jamais sans quelque émotion : on leur défend l'amour de la gloire ; on ne leur enseigne communément que l'art de plaire, en leur recommandant de n'y attacher aucun prix ; on a toujours avec elles tant d'inconséquences qu'il est bien juste de leur en pardonner quelques-unes.

Inès tenait de sa grand-mère d'excellents principes, et elle devait à la nature une âme sensible,
un caractère plein de candeur, et une douceur
inaltérable. Elle venait d'atteindre sa quinzième
année, et Mélinda avait déjà un projet arrêté
pour son établissement. Elle la destinait, au fond
de l'âme, à l'un de ses voisins, beaucoup plus âgé
qu'Inès, mais jeune encore, et aussi distingué par
les agréments et la solidité de son esprit que par
ses vertus et l'élévation de ses sentiments. Alonzo
(c'était son nom) avait vu naître Inès, et le plus
touchant souvenir la lui rendait doublement
chère : quoiqu'il n'eût que trente-cinq ans, il
n'avait eu pendant longtemps pour elle qu'une affection paternelle ; mais cette tendresse si pure
était devenue le sentiment dominant de son cœur.
Mélinda pénétra facilement tout ce qui se passait
au fond de son âme ; la maternité donne, à cet
égard, plus de finesse d'observation que n'en a
jamais donné la coquetterie. Alonzo était aimable ; il avait de la fortune, une grande naissance ;
il aimait la solitude ; il n'allait presque plus à la
cour, et passait sa vie dans ses terres : enfin il
avait dit souvent à Mélinda que s'il se mariait il
ne mènerait jamais sa femme à Lisbonne ; et Mélinda se décida à lui confier le destin d'Inès. Cependant l'extrême jeunesse d'Inès paraissait aux
yeux du sage Alonzo un grand obstacle aux vœux

secrets de son cœur ; et il n'osait se livrer à ses sentiments, en songeant qu'un mariage est rarement heureux avec une telle disproportion d'âge. Il était dans cette pénible indécision, lorsqu'il fut obligé de faire précipitamment un voyage à Lisbonne. Il partit, et laissa un grand vide dans le château de Mélinda. Inès n'éprouvait pour lui que l'affection qu'elle aurait eue pour un père : elle savait qu'il avait jadis été l'ami le plus intime du sien ; elle le révérait, elle le trouvait aimable ; et, quoique sa conversation, toujours instructive et solide, fût en général sérieuse, il parlait bien, et elle aimait à l'écouter. D'ailleurs c'était un ami, c'était le seul tiers qui rompît un éternel tête-à-tête.

Alonzo revint au bout d'un mois, et fut reçu avec une joie qui le toucha vivement. On lui fit mille questions sur son voyage et sur la cour. Mélinda l'interrogea sur les gens à la mode de son temps ; ne les ayant pas vu vieillir, leurs figures étaient restées gravées dans son imagination telles qu'elle les avait vues jadis : elle était fort étonnée d'apprendre que l'un était sourd, un autre dévot, un autre ennuyeux et taciturne. Alonzo parla du jeune prince royal dom Pèdre, et ce fut avec une extrême tristesse :

« Quel malheur pour le Portugal, dit-il, lorsque ce jeune prince montera sur le trône !

– Comment ? dit Mélinda, vous m'aviez dit qu'il est si brave, si généreux.

– Ah ! repartit Alonzo, sans doute dom Pèdre a de grandes qualités. Je l'ai vu montrer la plus brillante valeur dans la dernière campagne, et il n'avait alors que dix-huit ans ; il en a vingt aujourd'hui : il est libéral ; il a de la franchise, de la droiture dans le caractère, et de la constance dans ses attachements ; mais en lui tout est extrême ; sa magnificence va jusqu'à la prodigalité ; il est impérieux, et d'une violence qu'il porte souvent jusqu'à la fureur. On peut à la fois citer de lui un nombre égal d'actions magnanimes et d'actions pleines de férocité.

– Quel dommage ! reprit Mélinda ; on dit d'ailleurs qu'il est si beau !... Mais, poursuivit-elle, une grande passion corrigerait ses vices, et avec sa grandeur d'âme il pourrait un jour régner avec gloire.

– Quelle femme, dit Alonzo, pourrait s'attacher à un homme de cet effrayant caractère ?

– Eh bien, repartit vivement Mélinda, ces caractères-là ont souvent inspiré des attachements passionnés à des femmes sensibles et vertueuses. Nous aimons à faire des conversions...

– Mais, reprit Alonzo avec un sourire un peu amer, si l'on échoue dans cette ambitieuse entreprise...

– Il est vrai, l'interrompit Mélinda, qui s'aperçut enfin qu'Inès écoutait cet entretien avec avidité, il est vrai qu'il y a toujours une grande témérité dans cette espérance. Une femme véritablement raisonnable ne s'attache qu'à celui dont tous les sentiments s'accordent avec les siens, et dont elle peut admirer les actions et la conduite. »

Mélinda fut très satisfaite d'elle-même après avoir prononcé gravement ces paroles. Mais Inès ne l'écoutait plus. Mélinda ignorait que les lieux communs les plus sensés ne réparent jamais des saillies imprudentes.

Cette conversation devint pour Inès le sujet des plus dangereuses rêveries. Elle se rappelait surtout que sa grand-mère avouait que les hommes d'un caractère impétueux, violent, emporté, « inspiraient souvent des sentiments passionnés aux femmes les plus vertueuses, parce qu'elles aiment à faire des conversions ». Oui, se disait Inès, je conçois qu'en effet il est doux de s'occuper du soin de perfectionner le caractère de l'objet qu'on aime. Combien on doit s'attacher à celui qu'on a rendu meilleur !... Cette idée ne frappa que trop vivement Inès : en songeant au bonheur d'exercer un si noble empire, elle pensait toujours à dom Pèdre ; car ce prince était le seul homme qu'on lui eût peint sous de semblables traits, et cette image redoutable lui inspirait plus d'étonnement et de curiosité que de frayeur. Dans les entretiens avec Alonzo, lorsqu'on parlait de la cour, Inès faisait toujours quelques questions sur dom Pèdre ; et Alonzo conta de ce prince plusieurs traits de générosité qui se gravèrent pour jamais dans la mémoire d'Inès.

Un soir, Mélinda, voulant augmenter l'estime et l'amitié d'Inès pour Alonzo, pria ce dernier de conter son histoire. « Ce récit, ajouta-t-elle, me retracera le plus douloureux souvenir ; mais Inès est maintenant digne de l'entendre, et je veux qu'elle connaisse toute la délicatesse et toute la générosité de vos sentiments. » A ces mots, Alonzo, cédant aux instances réunies d'Inès et de Mélinda, prit la parole en ces termes :

« L'imagination est sans doute l'un des plus beaux dons de la nature ; c'est elle qui, franchissant toutes les distances, embrassant tous les temps, créant toutes les fictions, sait embellir à son gré le songe de la vie, soit en nous réunissant par la pensée à l'objet chéri dont le sort nous sépare, soit qu'en nous arrachant au spectacle affreux des misères humaines elle nous fasse rétrograder vers le passé, pour nous offrir, au milieu d'un siècle de fer, le tableau ravissant des jours heureux de l'âge d'or ; c'est elle qui, faisant de l'espérance une félicité rélle, nous donne le pouvoir et de dérober à l'avenir les biens qu'il semble nous promettre, et de jeter un voile épais sur tous les maux qu'il laisse entrevoir ; c'est elle enfin qui, détachant de la terre des âmes privilégiées, leur découvre les abîmes et les trésors de l'éternité, en les transportant, par un élan sublime, à la source même de la perfection, du bonheur et de la gloire. Si la vertu n'est pas l'aliment de ce flambeau céleste, il ne s'éteint pas, mais il change de nature ; il devient un feu destructeur, il embrasse sans éclairer, il consume, il dévore. Quand l'imagination n'est pas réglée par la raison et la sagesse, nous sommes toujours ou les jouets coupables ou les victimes de son ardeur et de ses illusions. Grâce au ciel, mon imagination ne m'a rien fait faire de criminel ; mais elle a bouleversé ma destinée, et vous verrez qu'elle m'a causé des tourments inexprimables durant ma première jeunesse.

« Je fus élevé en province, dans ce même château voisin du vôtre, et que j'habite depuis seize ans. J'avais cinq ans lorsque je perdis ma mère. A cette époque, mon père devint le tuteur du vôtre, ma chère Inès ; ce fut un dépôt que lui confia un ami en rendant le dernier soupir. Et je m'accoutumai bientôt à regarder Rodrigue de Castro comme le frère le plus chéri. Il était plus âgé que moi de six ans ; et cette supériorité d'âge si marquée, surtout dans l'enfance, lui donna sur mon cœur et sur mon esprit un ascendant qu'il a toujours conservé. Il avait un caractère obligeant et doux, une âme sensible et généreuse ; je m'attachai passionnément à lui, et le temps accrut encore un sentiment fondé sur la reconnaissance ; car Rodrigue fut à la fois le compagnon de mes jeux, l'ami le plus aimable, et mon véritable instituteur. Il m'inspira le goût de la lecture et de l'étude ; c'est de lui que j'ai reçu la plus solide instruction, celle qu'on acquiert sans ennui. J'écoutais avec plaisir un maître qui, en sortant des leçons, courait, sautait, grimpait sur les arbres, et jouait avec moi.

« Lorsque j'eus atteint ma dix-huitième année, mon père me mena à Lisbonne, et me présenta à la cour ; ensuite nous retournâmes dans notre solitude. Rodrigue, dans le monde depuis quatre ou cinq ans, passait toujours avec nous une partie de la belle saison. Il vint nous rejoindre vers la fin du printemps ; et je fus frappé de la profonde mélancolie que je remarquai dans tous ses entretiens, et qui paraissait même altérer sa santé. Je le questionnai avec tout l'intérêt de la plus vive amitié ; et il m'avoua qu'une passion malheureuse était l'unique cause de sa tristesse. Il était depuis trois mois éperdument amoureux d'une jeune personne dont les parents avaient déjà fixé l'établissement avec un autre. Je lui demandai comment il avait pu s'attacher à une personne dont la famille avait pris de tels engagements. "Je l'ignorais, répondit-il. J'avais entendu parler de sa beauté ; j'eus la funeste curiosité de la voir. On ne la mène point encore dans le monde ; sa mère ne reçoit point de jeunes gens, et vit elle-même dans une grande retraite. Enfin j'appris qu'elle allait souvent, à sept heures du matin, dans une église près du palais ; j'y allai : je la vis ; je m'agenouillai à côté d'elle ; et, au pied de l'autel où elle faisait sa prière, je fis le serment de renoncer à l'hymen si mes vœux étaient rejetés... J'ai demandé sa main ; on a répondu qu'elle était promise à un autre ; on a refusé de me voir. Je suis sans espérance, et le plus infortuné de tous les hommes."

« Tel fut le récit de Rodrigue. Je ne connaissais pas l'amour ; mais je voyais mon ami souffrant et malheureux, et ses peines me déchiraient le cœur. Il me confia le nom de celle qu'il aimait ; elle s'appelait Antonia de Mendoce. Je me promis d'engager mon père à faire encore en faveur de Rodrigue quelques démarches auprès de la famille de cette jeune personne. Le soir même de cet entretien, mon père me fit appeler dans son cabinet. Je m'y rendis aussitôt. Je trouvai mon père assis devant une table, sur laquelle étaient posées des lettres ouvertes, qu'il venait de recevoir et de lire. Il avait un air solennel qui me frappa. Il m'ordonna de l'écouter avec attention, et me tint ce discours : "Ma jeunesse s'est passée dans le célibat, et elle a été fort orageuse. Je me suis marié à quarante-huit ans, et mon mariage n'a pas été heureux. J'ai voulu que du moins la triste expérience que j'ai acquise vous fût utile. Je vous ai élevé dans la solitude, décidé à ne vous faire entrer dans le monde qu'en vous donnant une compagne aimable. Celle que je vous ai choisie est la plus belle et la plus charmante personne qui existe. Élevée à l'écart, comme vous, par la mère la plus tendre et la plus éclairée, elle ne connaît ni le monde ni les vains plaisirs de la dissipation. Sa mère vous a vu, vous lui convenez ; j'ai reçu sa parole, et j'ai donné la mienne. Cependant, forcé de revenir ici pour y terminer quelques affaires relatives à votre mariage, il a été décidé que vous ne seriez présenté à votre future épouse qu'à notre retour à Lisbonne. J'ai fini tout ce que je voulais faire ; nous partons demain." Après cette explication, mon père me dit le nom de l'épouse qu'il me destine. A ce nom, je tressaille : c'était celui de la jeune personne que Rodrigue aimait si passionnément, c'était Antonia de Mendoce !... Je me décidai sur-le-champ à tout avouer à mon père. Ce récit le surprit étrangement. Il avait une vive affection pour Rodrigue ; néanmoins, lorsque j'offris le sacrifice de cet établissement, il s'y opposa avec force. Mais je ne me rebutai point : "Songez, lui dis-je, que Rodrigue est un ami que je dois regarder comme un frère ; si j'épouse celle qu'il aime, je le perds pour jamais, et je le regretterai toujours ; il est éperdument amoureux, et moi, je n'ai jamais vu celle qu'il aime. Pourrai-je de sang-froid lui ravir le bonheur de sa vie ! Sa naissance est illustre, sa fortune est plus considérable que la mienne ; nous avons reçu la même éducation, les mêmes principes : son père, en mourant, vous a confié le soin de sa destinée ; il vous est cher ; il vous sera facile de le substituer à ma place ; il est beau, jeune, aimable et vertueux ; son âge convient même mieux que le mien à une personne de dix-sept ans." Toutes ces raisons ébranlèrent mon père. Je redoublai mes instances avec tant de chaleur, qu'enfin il y céda. Il fut convenu qu'il partirait seul pour Lisbonne le lendemain matin à la pointe du jour, et que, jusqu'à son retour, je cacherais à Rodrigue tout ce qui venait de se passer entre nous. Je le promis, et je tins parole. En sortant du cabinet de mon père, j'allai m'enfermer dans ma chambre. Je voulais penser à la félicité que je préparais à Rodrigue ; ce tableau, que mon imagination se représentait vivement, me

causa plus de trouble que de joie... Je m'étonnai
de me trouver si refroidi sur le bonheur d'un ami
si cher, et sur l'action généreuse que je venais de
faire. Je passai une nuit remplie d'agitations ;
mes pensées étaient encore raisonnables, mais elles n'étaient plus d'accord avec mes impressions...
Je me levai un peu avant le jour ; et, en voyant
que les domestiques s'occupaient des préparatifs
du départ de mon père, j'éprouvai une sensation
pénible. Mon père me demanda si toutes mes réflexions étaient faites. Cette question augmenta
mon trouble secret ; mais je répondis d'un ton
ferme que je pensais comme la veille. Quand je
vis mon père monter en voiture, je sentis mon
cœur se serrer, et je restai consterné. La présence
de Rodrigue m'embarrassa. Il avait entièrement
ignoré le projet de mon mariage, et il n'avait pas
le moindre soupçon de ce qui se négociait en sa
faveur. Je redoutais sa conversation... Il ne me
parla que de son amour et des perfections d'Antonia, dont il ne prononçait jamais le nom sans
me causer une sorte d'anxiété, qui devint chaque
jour plus douloureuse. J'écoutais avec saisissement l'éloge de cette beauté ravissante ; je ne
pouvais croire que ce portrait fût embelli par
l'amour, puisque mon père m'avait dit les mêmes
choses. Enfin ce langage d'un amant passionné
sans espérance me faisait connaître toute la vio-

lence d'un sentiment dont jusqu'alors je n'avais pas eu d'idée. La situation malheureuse que me dépeignait Rodrigue n'était plus la sienne, quoiqu'il le crût encore ; et, quand il me confiait ses souffrances, je croyais entendre une triste révélation de ma destinée. Je me répétais intérieurement : "Quoi ! j'ai dédaigné, j'ai refusé la main de la plus charmante personne qui existe ! Que ferai-je désormais de cette pensée ? et comment m'y soustraire ?"... Je demandai à Rodrigue si, le jour où il avait vu à l'église celle qu'il adorait, il avait obtenu d'elle un regard. Il me répondit qu'elle priait avec tant de ferveur que rien n'aurait pu la distraire, et qu'elle n'avait pas même jeté les yeux sur lui. Cette réponse me satisfit ; elle m'assurait que Rodrigue n'avait pu produire la plus légère impression sur cette jeune personne. Le tourment intérieur que j'éprouvais s'accrut tellement, que je frémissais en pensant au retour de mon père. Il ne revint qu'au bout de quinze jours. Nous allâmes à sa rencontre. J'étais si oppressé qu'il me fut impossible de proférer une seule parole. Mon père nous emmena dans le salon, et là, en ma présence, il conta à Rodrigue tout ce que j'avais fait pour lui, et il finit par lui annoncer que l'échange était accepté, qu'il épouserait sous trois semaines l'objet d'une passion si violente, et que nous partirions le lendemain pour Lisbonne.

Rodrigue éperdu se jeta dans mes bras avec un transport de joie et de reconnaissance qui suspendit quelques instants ma folie. Qui pourrait être insensible à la gratitude passionnée d'un ami, aux éloges d'un père révéré, et à la gloire de jouer un rôle véritablement généreux ? Mais, quand je me retrouvai seul, je repris toute ma faiblesse. L'ivresse dans laquelle je voyais Rodrigue me donnait l'idée d'une félicité qui séduisait également mon cœur et mon imagination. Pour conserver un ami, me disais-je, j'ai refusé d'unir mon sort à celui d'une personne aussi accomplie par ses sentiments, sa modestie, ses grâces, que par sa rare beauté ; et cet ami, je le perds ! Puisque je ne pourrais supporter la vue de son bonheur et la présence de son épouse, je dois fuir... Je voyagerai jusqu'à ce que j'ai recouvré la raison et la tranquillité. Je m'arrêtai à cette résolution, et à celle de ne point assister au mariage. J'en trouvai un prétexte assez simple. Je dis à Rodrigue et à mon père qu'après le refus que j'avais fait et l'échange que j'avais proposé, je ne pourrais paraître à cette noce qu'avec une sorte d'embarras. Je croyais que Rodrigue combattrait cette idée ; mais, au contraire, il en loua la délicatesse, et l'approuva avec une promptitude qui me blessa ; car il y avait dans mon esprit et dans mes sensations une étrange bizarrerie depuis que je m'abandonnais en secret à tous les tourments de la plus violente jalousie.

« Rodrigue et mon père partirent, et je restai seul dans ce vieux château devenu désert. On était aux derniers jours de l'automne ; la tristesse de la saison ne s'accordait que trop avec la disposition de mon âme. Le château était situé sur le bord de la mer : les orages, si fréquents à cette époque de l'année, faisaient sur mon esprit une impression dont rien ne peut donner l'idée ; je croyais voir des tempêtes pour la première fois de ma vie ; il me semblait que la nature entière était bouleversée. Ce désordre affreux, en me peignant celui de mes pensées et de mes sentiments, l'augmentait encore ; et néanmoins un charme indéfinissable m'attachait à cette contemplation. J'errais dans les longues galeries du château ou dans le parc ; j'écoutais avec émotion le mugissement des flots, le sifflement du vent, formant des sons aigus ou de lamentables gémissements à travers les créneaux des antiques tourelles et des vieux murs lézardés, et le bruit des feuilles desséchées tombées des arbres, que je froissais, et que je foulais aux pieds en marchant... Je m'enivrais de tristesse, afin d'avoir le droit de me plaindre. Je me rappelais avec amertume que Rodrigue n'avait montré ni le désir de m'emmener, ni le regret de me quitter ; je l'accusais d'ingratitude...

Et, mécontent de lui, et surtout de moi-même, je passai huit jours dans un état inexprimable d'abattement et de mélancolie. Il me semblait que j'étais abandonné, oublié de l'univers entier. J'avais toujours devant les yeux un objet enchanteur, une figure parfaite à laquelle mon imagination prodiguait tous les charmes, toutes les perfections ; je savais qu'elle avait des cheveux blonds, et de grands yeux bleus, et touchants, de longues paupières noires... On m'avait dépeint la régularité de ses traits, l'éclat de son teint, l'élégance de sa taille : je n'avais à créer que sa physionomie ; je me la représentais céleste et ravissante... Cette image divine me poursuivait en tous lieux ; et vous seule au monde, ma chère Inès, pouvez me la retracer... Je reçus enfin des lettres de Lisbonne, qui m'apprirent que Rodrigue était le plus heureux de tous les hommes. Ce fut ainsi, chère Inès, que se fit le mariage de Rodrigue de Castro avec la fille unique de Mélinda, avec celle qui devait vous donner le jour... Rodrigue m'écrivit pour me parler avec enthousiasme de son bonheur. Cette lettre acheva d'égarer ma tête... Mon père me mandait qu'un léger dérangement de santé l'obligeait à rester encore quelques jours à Lisbonne, et qu'ensuite il viendrait me rejoindre, et passer encore avec moi six semaines dans sa terre. Mais le surlendemain je reçus un courrier qui m'annonça qu'il était dangereusement malade, et qu'il me demandait. Je ne pensai plus qu'à l'aller rejoindre, et je partis sans délai. Arrivé à Lisbonne, je trouvai mon père dans l'état le plus alarmant. Rodrigue m'avait remplacé près de lui en mon absence ; il l'avait constamment veillé. Nous ne parlâmes que de nos inquiétudes ; nous pleurâmes ensemble. Rodrigue partageait ma douleur ; et dans ces premiers moments je ne vis plus en lui que le plus tendre frère. J'exigeai qu'il allât se reposer, et je m'enfermai dans la chambre de mon père. Il passa la nuit assez tranquillement ; et le lendemain matin, les médecins le trouvant beaucoup mieux, je repris de l'espérance, et j'allai par son ordre, au déclin du jour, me jeter sur mon lit. Je n'y goûtai point le repos. Je me levai au bout de quelques heures ; il n'était pas encore minuit : je traversai deux antichambres et un cabinet qui précédait la chambre de mon père, et qui dans cet instant n'était point encore éclairé ; mais il y avait des lumières dans la chambre, et la porte en était ouverte. Lorsque je fus à la moitié du cabinet obscur que je traversais, j'aperçus sur le lambris de la porte l'ombre en profil d'une jeune personne. Je ne pouvais méconnaître ce profil, qui représentait une figure céleste... Au même instant j'entends une voix d'une douceur enchanteresse prononcer ces paroles : "Il est minuit..." Je recule, en m'écriant : "C'est elle !" Et c'était en effet Antonia. Je retourne précipitamment dans ma chambre, en ordonnant à mes gens de dire, si l'on vient me demander, que je suis profondément endormi. Cette vision, cette ombre angélique devaient rester à jamais gravées dans ma mémoire... Je connaissais enfin le genre de physionomie de cet objet adoré, et jusqu'alors entièrement inconnu. Elle n'était plus pour moi une beauté idéale : je ne l'avais vue qu'en profil ; mais il m'était facile de colorer cette ombre divine et de me la représenter sous tous les aspects. J'avais entendu le son mélodieux de sa voix. Mon imagination, s'arrêtant sur une image invariable, fixait en même temps au fond de mon cœur une passion aussi bizarre que violente... Tout à coup j'entendis un carrosse sortir de la maison. Je supposai que c'étaient Rodrigue et sa jeune épouse qui s'en allaient après avoir fait une visite à mon père. Je ne me trompais pas ; et, lorsque j'en eus la certitude, je retournai dans l'appartement de mon père, que je trouvai si calme qu'il me parut être hors de danger. Je m'assis dans un fauteuil au chevet de son lit, et aussitôt je m'aperçus qu'une odeur délicieuse embaumait ce fauteuil... Ce parfum fit palpiter mon cœur ; il décelait celle qui s'était assise à cette même place... Je jetai les yeux sur le lambris qui

31

m'avait offert son image ; je crus revoir encore
cette ombre fugitive... Je l'entendais dire : "Il est
minuit..." Je tombai dans une rêverie dont rien ne
put me distraire pendant plus de deux heures.
Enfin mon père m'en arracha, en m'ordonnant
d'aller me coucher. J'obéis. Mais au milieu de la
nuit on vint me réveiller. Mon père se mourait !...
Au désespoir, j'envoyai chercher Rodrigue. Il accourut aussitôt. Tous nos soins furent inutiles ;
deux heures après je perdis mon vertueux père. Il
expira dans nos bras, et je n'avais que dix-huit
ans !... Rodrigue, renfermé avec moi, ne me
quitta point dans les premiers moments d'une si
juste douleur ; et, lorsque j'eus rendu les derniers
devoirs à mon père, je partis précipitamment sans
faire mes adieux à Rodrigue ; j'allai m'ensevelir
dans le château où j'avais été élevé, et de là
j'écrivis à Rodrigue que je voulais y passer quelque temps dans une retraite absolue. Je restai
trois mois dans une solitude et avec une tristesse
qui ne firent que porter au comble la folie qui me
dominait. Je n'y cherchai de distraction à ma
douleur que dans une passion insensée que je me
plaisais à nourrir, à fortifier. Je versais des larmes
amères, me trouvant également à plaindre par les
sentiments de la nature, par l'amitié, par
l'amour ; je me répétais que j'étais le plus infortuné des hommes. Je le croyais, c'était l'être en

effet. De bons conseils, le langage persuasif d'une raison compatissante, des occupations utiles, auraient pu me tirer de cet étrange égarement ; mais je cachais soigneusement ma folie ; personne au monde ne la soupçonnait ; et, pour m'y livrer tout entier, je vivais dans une totale oisiveté. Néanmoins je n'étais pas dans un état de végétation ; au contraire, chaque jour ajoutait un degré de plus à l'exaltation de ma tête ; je ne me vouais à la paresse extérieure que pour employer toute l'activité de mon esprit, toute la force de mon imagination à créer des chimères, à fixer, à réaliser une ombre, à la parer de tous les charmes, à lui donner une âme... J'allais tous les soirs à onze heures dans le parc ; là, j'attendais avec saisissement l'heure où j'avais recueilli ces mots : "Il est minuit", et je croyais les entendre répéter par cette voix harmonieuse et touchante, quand l'horloge du château sonnait cette heure mémorable. Un soir que je m'étais enfoncé dans une longue allée de charmille, où je n'allais jamais, parce qu'elle était à l'extrémitié du parc, je me promenais lentement, uniquement préoccupé d'une seule idée. En me trouvant dans une profonde obscurité, et voyant devant moi, au bout de l'allée, un parterre éclairé par la lune, je me rappelai ce cabinet si sombre que j'avais traversé le dernier jour de la vie de mon père, et l'apparition de

cette figure angélique empreinte sur le lambris...
Ces souvenirs firent couler mes larmes... J'avan-
çais toujours vers le parterre, et le doux parfum
des fleurs me rappelait aussi celui du fauteuil...
Dans ce moment, j'entendis en tressaillant sonner
minuit... Je fais encore quelques pas. Je touche à
la fin de l'allée, et tout à coup mon trouble devient inexprimable... Ce n'est point une illusion,
je reconnais, je vois distinctement ce profil grec,
ces traits délicats, cette taille de nymphe, enfin
l'ombre entière de cette ravissante figure... Je
veux me précipiter vers elle et l'atteindre ; mais
elle me fuit... C'est elle ; ce n'est point un pres-
tige de mon imagination ; car elle m'apparaît
dans une attitude nouvelle ; son corps penché
s'élance en avant loin de moi pour m'éviter ; un
seul de ses pieds touche légèrement la terre ; elle
court, elle va franchir ce tapis de verdure... Je ne
puis la poursuivre ; mes forces m'abandonnent, la
respiration me manque, mes yeux baignés de
pleurs se couvrent d'un nuage ; je tombe évanoui
au pied d'un arbre... Je restai deux heures dans
cet état. Enfin la fraîcheur de la rosée me fit re-
prendre l'usage de mes sens. Dans ce moment, un
vieux valet de chambre qui m'avait élevé, inquiet
de moi, vint me chercher ; il était escorté de trois
ou quatre domestiques portant des flambeaux et
des lanternes. On m'aida à me relever. Alors, à la

clarté des flambeaux, je reconnus l'erreur qui m'avait causé une si violente émotion : c'était l'ombre d'une statue d'Atalante placée au bout de la charmille, à l'entrée du parterre... Ne me promenant jamais dans cette partie du jardin, j'avais oublié la statue, sur laquelle je n'avais jeté les yeux qu'en passant et avec distraction...

« Cependant, ma santé s'altérant sensiblement, je me décidai à voyager, et je partis pour la France. J'y restai près d'un an, sans devenir plus calme et plus raisonnable. Je recevais souvent des lettres de Rodrigue, et au bout de quelques mois elles me causèrent de vives inquiétudes. Antonia, qui portait dans son sein un gage de leur amour, tombait dans un état alarmant de dépérissement et de langueur. Cette triste nouvelle m'engagea à me rapprocher du Portugal, et peu de temps après j'y rentrai. J'avais passé dix mois dans les pays étrangers. J'arrivai à Lisbonne sur la fin de septembre. J'envoyai sur-le-champ chez Rodrigue. Quel fut mon saisissement lorsqu'on vint me dire qu'Antonia, accouchée de la surveille, était à toute extrémité... »

Dans cet endroit de son récit, Alonzo s'arrêta, en voyant couler les pleurs de Mélinda. Il voulait terminer là sa mélancolique narration ; mais Mélinda le conjura de la continuer, et il la reprit ainsi :

« J'avais si peu ma tête en entrant chez l'infortuné Rodrigue, que, sans reconnaître ses gens, sans leur répondre, sans me faire annoncer, je me précipitai dans cette maison désolée... Je franchis l'escalier, ensuite je traverse deux antichambres... A mesure que j'avance, mes mouvements se ralentissent, mes jambes tremblantes fléchissent ; je frémis, je chancelle... Il me semble que mon sang glacé a cessé tout à coup de circuler dans mes veines... Je me disais avec horreur : "Que vais-je chercher ? que trouverai-je ?... Le désespoir et la mort." Mon courage m'abandonnait, lorsque j'entendis des gémissements. je reconnus la voix du malheureux Rodrigue. Je n'eus plus qu'un sentiment, celui d'aller pleurer et mourir avec lui... J'entre dans cette chambre fatale... Le jour finissait, les rideaux des fenêtres étaient fermés, et l'obscurité ne permettait qu'à peine de distinguer confusément les objets... J'entrevis en frémissant que l'on entraînait Rodrigue et Mélinda dans une autre pièce, dont la porte ouverte était en face de celle par laquelle je venais d'entrer. Ce groupe de personnes en pleurs était guidé par plusieurs domestiques. Parvenus déjà dans un salon voisin, où l'on avait porté les lumières, la chambre où j'étais n'en avait plus... Je veux suivre cette troupe éplorée, je veux appeler Rodrigue... Ma voix s'éteint sur mes lèvres glacées ; une puissance invisible me fixe à ma place... Dans ce moment, tout ce qui sortait de la chambre étant entré dans un autre appartement, on ferme la porte, et je me trouve seul, au milieu des ténèbres, dans cette étroite et lugubre enceinte qui n'était plus habitée que par la mort... Cependant je rassemble mes forces ; je fais en chancelant quelques pas... Je me heurte, et je tombe à genoux auprès d'un lit... Hélas ! je ne pouvais ignorer que là reposait, enseveli dans un sommeil éternel, l'objet le plus terrible et le plus touchant... Mes pleurs coulèrent enfin... "Ah ! m'écriai-je d'une voix étouffée par mes sanglots, voilà donc l'horrible et le seul tête-à-tête que le sort réservait à mon déplorable amour !... Ô toi, dont tous les instants d'une vie si pure ont été perdus pour moi, tu n'as passé si rapidement sur la terre que pour y laisser la trace brillante d'une perfection divine !... Mes tristes yeux n'ont vu que ton ombre, mon oreille n'a recueilli qu'un seul accent de ta voix angélique, et nulle autre harmonie ne peut pénétrer jusqu'à mon cœur, nulle autre beauté ne peut me toucher ou me surprendre... et je ne devais passer quelques minutes près de toi qu'après avoir perdu tout espoir de t'entendre et de rencontrer un seul de tes regards..."

« En gémissant ainsi, je versais un torrent de larmes... Dans ce moment, une porte s'ouvre, et j'aperçois, en frissonnant, un vénérable prêtre portant deux cierges allumés. Il était suivi de plusieurs domestiques, dont l'un, qui me connaissait, me nomma... Le prêtre, s'avançant gravement, posa les cierges au pied du lit... Ce fut à cette clarté funèbre que je vis pour la première fois, parmi les ombres de la mort, l'objet infortuné de tant d'amour et de regrets... En contemplant avec extase et stupeur cette beauté parfaite que la mort avait respectée, je ne pleurai point sur l'horreur de lui survivre ; loin de supposer ce prodige, il me semblait que j'allais descendre avec elle dans la tombe...

« Cependant le prêtre, s'approchant de moi, m'invita à passer dans la chambre prochaine. Je croyais ma carrière terminée. J'avais dans ma pensée renoncé à tout, même à ma volonté. J'obéis sans résistance et sans répondre. Le prêtre me suivit ; et, lorsque nous fûmes seuls dans le cabinet voisin, il m'arrêta, et me tint ce discours : "L'ange que nous pleurons tous, celle dont la main s'ouvrit toujours au pauvre, et qui, loin de se laisser séduire par les louanges humaines, ne fit cas que du témoignage de sa conscience ; cette femme si pieuse et si pure, quelque temps avant sa mort, dont elle eut le pressentiment, me chargea, monsieur, si Dieu disposait d'elle, de vous appeler, et de vous conjurer, au nom de la religion et de l'humanité, de ne point abandonner son mari dans les premiers moments de sa douleur, et de l'engager, si elle donnait le jour à une fille, de confier l'éducation de cette enfant à la respectable Mélinda de Mendoce... – Oui, m'écriai-je en fondant en larmes, oui, je vivrai pour lui obéir..." A ces mots, le prêtre surpris me regarda fixement ; il soupira, et, sans répondre, il me quitta. Je tombai dans un fauteuil, et je répétais avec un affreux déchirement de cœur : "Elle me fit appeler ! elle prononça mon nom ! elle m'a donné la preuve d'une confiance intime !..." Enfin on vint me chercher de la part de Rodrigue. Je trouvai cet infortuné dans un désespoir qui suspendit en moi le sentiment de mes propres maux. Il connut facilement, en jetant les yeux sur ma figure décomposée, à quel point j'étais profondément affecté. N'attribuant qu'à mon amitié pour lui cette affliction sans bornes, il me tendit les bras. Je me précipitai sur son sein aussi oppressé que le mien. Ce ne fut pas sans quelque remords que je l'entendis m'exprimer sa reconnaissance... Hélas ! je n'avais que trop envié sa félicité. Mais combien son malheur me le rendait cher ! combien il m'eût été doux d'offrir quelque consolation à celui qu'Antonia mourante avait confié à mes soins !... La sympathie d'une égale douleur nous attacha l'un à l'autre plus fortement que jamais. Je ne le quittai point. Il avait une fièvre brûlante et des convulsions qui faisaient tout craindre pour sa vie. Je passai cinq nuits au chevet de son lit. Lorsqu'il fut hors de danger, je m'établis tout à fait chez lui, pour le soigner dans sa convalescence. Mais son mal était incurable ; il avait reçu un coup mortel ; nul secours humain ne pouvait le guérir. J'allai un matin chercher son enfant, qu'il avait jusqu'à ce moment refusé de voir. Je pris dans mes bras cette innocente créature, dont la naissance avait coûté la vie à sa mère... C'était vous, ma chère Inès... Qui pourrait dépeindre ce que j'éprouvai en vous pressant contre mon cœur... ce cœur que vous deviez un jour consoler et remplir ?... »

Ici Alonzo s'attendrit, et resta quelques instants sans parler... Mélinda essuya les pleurs dont son visage était inondé ; Inès rougit, s'embarrassa, baissa les yeux ; et Alonzo, après un long silence, reprenant la parole : « Je vous portai, poursuivit-il, sur les genoux de votre père. Votre vue le fit tressaillir. "Hélas ! dit-il, comme elle ressemble à sa mère !... S'il m'était possible de vivre, je sens qu'elle pourrait un jour adoucir la rigueur de ma funeste destinée..." Depuis ce moment, il voulut vous revoir tous les jours. Mais l'amour paternel ne put affaiblir sa douleur. Il ne pouvait un seul instant se passer de moi ; je pleurais avec tant d'amertume... La compassion, l'amitié, les dernières volontés d'Antonia, m'attachaient tellement au sort de Rodrigue, que je m'occupais beaucoup moins de mes peines que des siennes, et que je ne concevais plus que je n'eusse pas été heureux de son bonheur. "Elle vivait, me disais-je, et mon ami était au comble de la félicité. Comment pouvais-je me croire le plus infortuné des hommes ! Je n'ai jamais joui un seul instant d'une des joies les plus réelles de la vie, celle de faire à l'amitié un sacrifice généreux. J'ai perdu tout le fruit d'une belle action, pour me livrer comme un insensé à l'égarement le plus inexcusable. Je suis cruellement puni d'un si coupable égoïsme ; je gémis sous le poids affreux d'un double malheur ; je supporte à la fois des regrets déchirants et ceux de mon ami..." C'était ainsi que de justes remords aggravaient encore pour moi des chagrins sans consolation...

« Rodrigue était tombé dans un état de faiblesse et d'épuisement qui ne lui permettait pas de quitter sa chambre ; ce qu'on appelait sa convalescence n'était qu'une maladie de langueur à laquelle il devait succomber. Je ne le quittais que pour aller de loin en loin passer une heure ou deux avec une jeune veuve qui avait été l'amie intime de la malheureuse Antonia. Elle se nommait la comtesse de Nava. Son affliction vive et

41

profonde m'attacha à elle, et gagna toute ma confiance. J'avais besoin d'ouvrir mon cœur. Un jour qu'elle m'interrogeait avec plus d'intérêt que de coutume, je lui contai sans déguisement toute mon histoire. Pendant ce récit, l'étonnement, la pitié se peignaient successivement sur son visage ; et quand j'eus cessé de parler, elle leva les yeux au ciel, en disant : "O destinée cruelle et bizarre !..." Elle fit cette acclamation avec un ton et une expression qui me frappèrent. Je la questionnai. Elle refusa de me répondre ; mais son air mystérieux redoubla mon inquiétude et ma curiosité. Enfin, cédant à mes instances : "Malheureux ! s'écria-t-elle. Antonia vous avait vu, vous connaissait... vous étiez aimé !"... Ces paroles me terrassèrent. J'étais debout, je tombai dans un fauteuil ; j'y restai pétrifié, pâle, glacé, sans mouvement... La comtesse effrayée me parlait en vain ; je n'étais plus en état d'écouter... Les mots qu'elle venait de prononcer retentissaient à mon oreille avec un éclat foudroyant ; nul autre son, nul autre bruit ne pouvait agir sur mes organes ; si la maison s'était écroulée, je n'aurais pu l'entendre. La comtesse ouvrit une fenêtre, me fit respirer des sels, et je sortis par degrés de cette affreuse stupeur. Alors, en y réfléchissant, je doutai de ce nouveau malheur, le plus grand qui pût m'accabler, et dont néanmoins je désirais la confirmation. Je demandai, j'exigeai des détails, des preuves ; et la comtesse, prenant la parole : "Vous savez, dit-elle, qu'au premier voyage que vous fîtes à Lisbonne, votre père arrêta votre mariage avec l'infortunée Antonia. Comme il restait encore quelques affaires à régler, il fut convenu que, jusqu'au retour de votre père, Antonia, ainsi que vous, ignorerait cet engagement ; mais son malheur le lui fit découvrir à l'insu de sa mère ; et, pour ne point compromettre ceux qui lui avaient révélé ce secret, elle garda le silence, et feignit avec sa mère de n'avoir aucun soupçon de ce qu'on voulait lui cacher. Durant votre séjour à Lisbonne, votre père, ami de mes parents, vous amena deux ou trois fois chez moi. Mélinda, dont le frère était ministre, sollicitait pour moi dans ce temps une grâce de la cour, à laquelle j'attachais le plus grand prix. Un soir, au déclin du jour, Mélinda reçut une lettre du ministre, qui lui apprenait que la grâce était accordée. Mélinda ne pouvait dans ce moment venir me l'annoncer. Antonia la conjura avec tant d'insistances de la charger de cette commission, que Mélinda y consentit, quoiqu'elle ne laissât jamais sortir sa fille sans elle, et qu'elle ne la menât point dans le monde. Antonia accourut chez moi. Elle me trouva seule ; et je fus si occupée de ce qu'elle avait à me dire, que je ne songeai point à fermer ma porte. Au bout d'un quart d'heure, j'entendis un carrosse entrer dans ma cour. Je me rappelai que vous deviez venir me faire vos adieux. Je le dis en vous nommant. Le trouble d'Antonia fut extrême. Je l'attribuai à l'embarras de se trouver sans sa mère avec un jeune homme. Elle s'écria qu'elle ne voulait même pas vous rencontrer. Elle se précipita vers la porte d'un cabinet, afin de sortir par un escalier dérobé ; mais cette porte était fermée en dedans. Cependant nous vous entendîmes entrer dans l'antichambre. Dans cette extrémité, Antonia se jeta dans l'embrasure d'une fenêtre, et se cacha derrière un rideau de tapisserie. Au même moment, la porte s'ouvrit, et vous parûtes... Notre conversation dura plus d'une demi-heure ; vous parlâtes beaucoup de votre père, de ses vertus, de votre attachement pour lui. Pendant ce temps, Antonia vous voyait et vous entendait... Je vous congédiai, et j'ouvris le rideau qui cachait la tremblante Antonia. L'excès de son émotion était si visible que je la conjurai de m'en dire la véritable cause. Alors elle me confia son secret ; de plus, elle m'avoua que le choix de sa mère était devenu celui de son cœur..." Ici les sanglots qui me suffoquaient interrompirent le récit de la comtesse. "Vous m'avez forcée, me dit-elle, de vous révéler ce triste secret...

— Ne vous en repentez point, m'écriai-je : il est

vrai, je ne me consolerai jamais ; je n'aimerai jamais une autre femme (je le croyais alors) ; mais cependant l'idée que nos âmes s'entendaient n'est pas sans charme pour moi...

– N'aggravez pas vos peines, reprit la comtesse, en vous persuadant que ce malheureux penchant ait eu sur sa vie une funeste influence. Elle éprouva sans doute une vive douleur en apprenant que vous aviez cédé sa main à votre ami ; accoutumée à l'obéissance, elle épousa Rodrigue sans explication et sans plainte : le devoir avait tant d'empire sur son âme, Rodrigue est si vertueux, il a tant de qualités aimables, qu'elle s'attacha sincèrement à lui. "

« Après cette conversation, qui venait de mettre le comble aux tourments secrets de mon cœur, je quittai la comtesse, et je retournai chez Rodrigue. J'étais si changé, si accablé, qu'il s'aperçut de mon abattement. Il m'en demanda la raison. Je répondis avec tant d'embarras, qu'il connut bien que je ne disais pas la vérité. Il imagina que j'étais amoureux de la comtesse de Nava, et qu'elle avait mal reçu ma déclaration. Je l'assurai qu'il se trompait. Ensuite je ne fus pas fâché qu'il s'obstinât à conserver une erreur qui l'empêcherait sûrement de découvrir une vérité que je voulais qu'il ignorât toujours.

« Je passai la nuit dans l'agitation la plus douloureuse ; je me répétais toujours : Elle m'aimait !... et mon cœur se brisait... Et, lorsque le matin Rodrigue se réveilla, je n'avais pas encore goûté un instant de sommeil. J'allai chez lui. Jusque-là je n'avais pu l'entendre parler de ses regrets qu'avec une compassion mêlée d'envie ; je pensais qu'il avait goûté le bonheur d'un amour réciproque ; maintenant que je ne le croyais plus, mes pleurs coulaient toujours en l'écoutant, mais avec moins d'amertume. Il me dit qu'il n'avait pas encore eu le courage d'entrer dans un cabinet où se trouvait le portrait de grandeur naturelle le mieux peint, le plus ressemblant, le plus parfait... "Allez le voir, poursuivit-il, afin de connaître entièrement à quel point je suis malheureux..." A ces mots, il me donna la clé, que je reçus en frissonnant... En mettant le pied dans ce fatal cabinet, je crus descendre dans mon tombeau... Mais que devins-je à l'aspect de cet admirable tableau, en fixant mes yeux baignés de larmes sur cette figure divine pleine de vie, de fraîcheur et d'expression, sur ce visage enchanteur qui me souriait !... J'avais, s'il est possible, éprouvé dans toute mon existence un bouleversement moins affreux en voyant en réalité cette figure adorée couverte des ombres de la mort ; du moins alors tout était d'accord avec ma douleur et mes funestes pensées... Mais comment soutenir la vue de cette beauté ravissante dans tout l'éclat de la jeunesse, de celle qui m'avait aimé, que je voyais pour la première fois parée de tous ses charmes, et qui n'existait plus ! Je frémissais en la contemplant ; l'admiration n'était pour moi qu'un supplice au-dessus de mon courage ; j'avais devant les yeux l'image désespérante d'un bonheur suprême que j'avais dédaigné, rejeté, et qui m'était ravi sans retour... On vint me tirer de cette accablante rêverie. Rodrigue me demandait. Nous pleurâmes ensemble tout le reste de la journée. C'était l'unique consolation que je pouvais goûter et lui offrir.

« La santé de Rodrigue ne se rétablissant point, et la mienne s'affaiblissant tous les jours, j'avais l'air de m'éteindre avec lui. Il voulut me faire épouser la comtesse de Nava ; mais il connut enfin à ma résistance que je n'avais point pour elle les sentiments qu'il avait supposés. Les médecins nous ordonnèrent d'aller respirer l'air de la campagne ; Rodrigue me dit qu'il voulait mourir dans ma terre, où nous avions été élevés : "J'y consens, lui répondis-je, tu y guériras, ou nous y mourrons ensemble." A ces mots, Rodrigue, serrant ma main dans les siennes, me montra une reconnaissance si touchante de ce qu'il appelait ma sublime amitié, qu'il me fut impossible de supporter les remords que me causait un enthousiasme que

47

je ne méritais pas. Je lui ouvris mon cœur déchiré, rempli de tendresse pour lui, et en même temps de regrets mortels du sacrifice qui n'avait pu qu'un instant faire son bonheur. A l'exception de la confidence que j'avais arrachée à la comtesse, je lui avouai tout. Il m'écouta avec un profond attendrissement : "Eh bien ! me dit-il, ton sacrifice a été mille fois plus généreux que je ne pouvais l'imaginer... Notre rivalité est ensevelie avec elle dans la tombe ; maintenant ce malheureux amour n'est plus qu'un sentiment sans espoir, qui nous identifie l'un avec l'autre ; nos âmes sont unies par la même douleur ; nous nous plaindrons mutuellement autant que nous souffrons ; et ce n'est que de cet instant que je puis dire que tu es véritablement devenu un autre moi-même..." Rodrigue parlait avec une parfaite sincérité ; notre amitié réciproque s'exalta tellement qu'elle aurait pu nous consoler ; mais, hélas ! il portait la mort dans son sein. Il ne s'abusa point sur son état ; il vous remit entre les mains de votre grand-mère, fixée dans notre voisinage, et il ne s'occupa plus que du soin de me préparer à sa perte. L'inquiétude qu'il me causait acheva de détruire ma santé, et bientôt je parus être aussi malade que lui. Un soir, sur la fin du mois de mai, nous fîmes dans le parc une promenade plus longue qu'à l'ordinaire, nous parcourions à pas lents les lieux où nous avions passé ensemble les jours heureux de notre enfance, en nous rappelant ce temps où la joie et la gaieté animaient tous les instants de notre vie ; et, en regardant nos figures décolorées et languissantes, nous ne pouvions nous persuader que nous fussions encore dans l'âge le plus brillant de la jeunesse. "Ô mon ami, me dit Rodrigue, comme la douleur et les passions vieillissent, alors même qu'elles ne produisent point d'égarements criminels ; tout ici nous retrace une paisible innocence et des amusements qui me paraissent aussi loin de nous que si nous étions dans la décrépitude ! Oh ! qu'on a longtemps vécu, lorsqu'on a souffert toutes les peines de l'âme !... Et tu n'as que vingt ans ! Un orage a flétri le printemps de ta jeunesse ; mais la raison pourrait encore te rendre de si beaux jours !...

– Non, non, répondis-je ; regarde cet arbre, les vents ont desséché ses fleurs ; il ne portera point de fruits..." Comme je disais ces mots, nous nous trouvâmes en face de cette statue d'Atalante, qui avait été pour moi la cause d'une si étrange illusion ; je me rappelle ce souvenir, je tressaille, Rodrigue s'aperçoit de ce mouvement, et me questionne ; alors nous nous asseyons sur un banc, en face de la sombre avenue de charmille, et je lui conte cette singulière scène. Ce récit frappa sa tête affaiblie, il m'écoutait avec une extrême émotion ; et, tout à coup, m'interrompant : "Tu te trompais, me dit-il, ce n'était point son ombre, elle existait alors ; mais à présent !... Jette les yeux sous l'ombrage de cette obscure allée..." En disant ces paroles, il me serra fortement la main... Le saisissement me rendit immobile et muet... "La vois-tu, la vois-tu, reprit-il d'une voix étouffée, elle s'approche, la voilà !... Dieu ! quelle pâleur !... quel regard !..." A ces mots, agité d'horribles convulsions, il tomba presque évanoui sur mon sein !... J'appelai les domestiques qui nous suivaient toujours dans nos tristes promenades. Ils accoururent, on porta Rodrigue dans le château, on le mit au lit, il était dans un état affreux d'égarement ; je me sentais moi-même si malade que je fis dresser un lit près du sien, et je me couchai à côté de lui, en pensant que nos fatales destinées se termineraient en même temps !... Un médecin qui nous avait suivis me déclara que Rodrigue était dans le plus grand danger. Son délire dura toute la nuit ; enfin, aux premiers rayons du plus funeste de nos jours, il reprit toute sa connaissance ; mais, en la conservant tout entière, il tomba quelques heures après dans une longue agonie. Il donna avec un courage héroïque les derniers moments de la vie la plus pure à la religion et à l'amitié !... Je tenais sa main défaillante dans les miennes, je souffrais avec lui, et je me croyais prêt à le suivre ; je fis dire les prières des agonisants pour nous deux ; j'y répondais d'une voix éteinte comme la sienne ; je sentais tout ce qu'il éprouvait ; un même tombeau semblait s'ouvrir pour nous recevoir !... Appuyé sur un ami si cher, j'y descendais sans horreur ; son oppression m'ôtait la faculté de respirer librement ; son affaiblissement m'anéantissait, et, lorsqu'il rendit le dernier soupir, je crus exhaler le mien, je perdis l'usage de mes sens en pressant contre mon cœur sa main immobile et glacée !... Les soins compatissants de la généreuse Mélinda me rappelèrent à la vie, et m'y rattachèrent.

« Lorsque Rodrigue vint avec moi dans mon château avec l'intention de s'y fixer, Mélinda acheta cette terre dans notre voisinage, afin de vous y élever, ma chère Inès, sous les yeux de votre père : enfin je vous vis croître, je recueillis vos premières paroles, j'admirai les progrès de votre raison et ceux de vos charmes, qui me retraçaient des traits adorés !... Votre aimable enfance rendit à ma jeunesse de beaux jours et les plus doux sentiments !... Je reportai sur vous tout l'attachement que j'avais eu pour vos infortunés parents, je me consolai sans changer !... »

Ce fut ainsi qu'Alonzo termina sa déplorable histoire, et il vit avec une extrême émotion deux larmes s'échapper des yeux baissés d'Inès !...

Ce récit toucha profondément Inès ; mais il fit sur son cœur une impression bien différente de celle que Mélinda en avait espérée. La confidence des malheurs d'Alonzo avait augmenté son estime et son amitié pour lui ; mais ce qui l'avait le plus frappée dans cette narration, c'était cet amour romanesque pour un objet inconnu. Le vertueux, le sage Alonzo était la preuve qu'une telle passion pouvait exister... Ces réflexions la ramenaient toujours à penser à dom Pèdre, à ce jeune prince violent, impétueux, mais si beau, si brillant, et dont Mélinda assurait que l'amour corrigerait tous les défauts... Inès, en s'avouant sa folie, borna cependant ses prétentions et ses projets, comme on le fait toujours en se livrant à de dangereuses chimères, afin d'être moins déraisonnable à ses propres yeux, et d'avoir dans sa pensée moins d'obstacles à vaincre. Elle n'aspirait point au trône, elle ne voulait qu'aimer en secret, aller à la cour, connaître dom Pèdre, gagner son cœur, lui résister, lui cacher à jamais ses sentiments ; devenir son amie, son guide, dompter son caractère, perfectionner ses grandes qualités, et lui donner celles qui lui manquaient. Qelle gloire pour elle ! et quel service à rendre à sa patrie !... Avec la tête la plus romanesque, Inès avait des principes vertueux et une âme noble et pure. Malgré son inexpérience, elle savait bien que la

politique seule donnerait une épouse au prince de
Portugal : l'idée d'une liaison criminelle lui faisait
horreur ; elle se décidait à ne jamais se marier et
à se dévouer à une passion malheureuse, qu'elle
cacherait toujours avec le plus grand soin ; elle
formait ce projet avec une parfaite sincérité ; elle
ignorait qu'il est très possible de triompher d'une
passion en la combattant de bonne foi ; mais que,
s'y livrer en secret, c'est y céder, et qu'alors on
ne la cache point, parce que tout la trahit. Une
seule chose embarrassait Inès, c'était de décider
Mélinda à la mener à la cour, et même à Lisbonne. Mais elle se flatta qu'à force d'y réfléchir
elle en trouverait le moyen. Les sentiments
d'Alonzo lui causaient aussi une sorte d'inquiétude vague ; néanmoins elle se répétait qu'il était
impossible qu'il eût une grande passion pour elle ;
ayant été amoureux de sa mère, il lui paraissait
vieux ; elle voulait se persuader qu'elle ne lui inspirait qu'une affection paternelle, et elle affecta
de lui témoigner en toute occasion un respect et
un attachement filial.

Cependant Inès éprouva bientôt un chagrin qui
l'arracha pour longtemps à ses rêveries romanes-
ques ; la santé de Mélinda déclinait tous les jours
d'une manière effrayante ; elle sentit elle-même le
danger de son état. Elle fit avec douleur le sacrifice d'une vie qui pouvait être utile encore à sa

petite-fille ; mais elle se consolait en pensant qu'elle laisserait cette enfant chérie sous la garde et sous la protection du sensible et vertueux Alonzo. Elle eut avec lui une longue explication, dans laquelle Alonzo lui avoua les sentiments qu'il avait pour Inès. En même temps, il la conjura de n'en point parler à Inès. « Elle n'a pas dix-sept ans, lui dit-il ; je veux lui donner le temps de connaître son cœur.

— Eh quoi ! reprit Mélinda, pouvez-vous douter d'une préférence que vous obtiendriez sûrement, quand vous auriez des rivaux. Inès n'a vu que vous, vous êtes le seul homme sur lequel ses regards se soient attachés...

— Elle n'ignore pas qu'il en existe d'autres, et plus jeunes et plus brillants.

— Elle est si naïve ! songez donc qu'elle n'a pas même entrevu le monde...

— Hélas ! oui, j'y songe !

— Comment ! vous en êtes fâché ?

— Vous lui avez parlé du monde, et souvent, sans vous en douter, avec tant de charmes ! J'aimerais mieux qu'elle l'eût vu quelquefois. Dans les choses dangereuses, je crains surtout les rêves de l'imagination ! Le doux enchantement des pensées vagues, l'idée d'une félicité et d'une perfection idéales produisirent jadis tous les malheurs de ma jeunesse...

– Je lui ai peint avec tant d'énergie tous les dangers du monde...

– L'histoire des naufrages a-t-elle jamais empêché les voyageurs de se livrer à la merci des flots ? La jeunesse est hasardeuse, les écueils ne l'effraient guère, rien ne lui déplaît que l'insipidité ; on ne sent le prix du calme qu'après avoir été battu de la tempête !

– Soyez tranquille, mon cher Alonzo ; toutes les pensées d'Inès me sont connues ; elle n'a ni une imagination vive, ni une tête romanesque ; et elle sera toujours, sans effort, aussi raisonnable qu'elle est charmante. »

Mélinda parlait ainsi avec une parfaite conviction. Et voilà comme en général les mères connaissent les jeunes personnes de quinze ou seize ans !

Quelques jours après cet entretien, Mélinda se trouva si mal qu'elle fut obligée de se mettre au lit, et bientôt on désespéra de sa vie. Alors, en présence d'Alonzo, elle demanda à Inès de lui promettre de donner sa main à cet ami, si digne de son estime et de son affection. Inès à genoux, et baignée de larmes, allait, sans hésiter, accorder à sa grand-mère mourante cette dernière satisfaction ; mais Alonzo, prenant la parole : « Non, non, dit-il, ne lui arrachons point un serment peut-être imprudent à son âge, mais recevez celui

de mon cœur... Ô respectable Mélinda, si le ciel
nous accable du plus grand des malheurs, si nous
vous perdons, je jure à vos pieds de consacrer ma
vie à cette enfant chérie ; si je ne deviens pas son
époux, je serai son guide, son tuteur et son père. »
A ces mots, Mélinda attendrie prit la main
d'Alonzo, qu'elle mit dans celle d'Inès, elle se
pencha vers eux, les bénit, et, laissant retomber
sa tête sur son oreiller, elle ferma pour jamais les
yeux ; peu de minutes après elle expira.

On trouva un testament dans lequel Mélinda
nommait Alonzo son exécuteur testamentaire et
tuteur d'Inès. Alonzo se hâta d'arracher Inès d'un
séjour où tout irritait sa profonde douleur. Il la
conduisit dans son château, où se trouvait dans ce
moment une de ses parentes, qui devait y passer
cinq ou six mois. Amalia de Nugnès (on appelait
ainsi cette parente) était une personne de trente-
deux ans, que le manque de fortune et d'agréments personnels avait empêché de se marier.
Elle en avait perdu l'espérance ; mais elle conser-
vait celle d'obtenir une place de fille d'honneur
de la Reine, seconde épouse d'Alphonse sur-
nommé le Justicier, et belle-mère du prince royal.
Amalia, par sa naissance, pouvait être présentée à
la cour ; elle n'y avait paru que pour constater le
droit d'y aller, mais il lui en restait le désir passionné d'y avoir une place. Elle avait toujours

échoué dans toutes ses démarches à cet égard ; la
Reine voulait avoir une cour brillante, et n'y ad-
mettait que des personnes distinguées par leur
élégance ou leur beauté. Amalia avait ce mauvais
air que donne toujours dans le monde le dénue-
ment de fortune, à moins qu'il ne soit racheté par
des agréments personnels et par le charme de
l'esprit et des talents : une grande naissance était
aux yeux d'Amalia le premier de tous les avantages, et, comme elle en avait une illustre, elle ne
concevait pas qu'on eût pu lui préférer des personnes dont les familles étaient inférieures à la
sienne. Elle se flattait toujours que l'on finirait
par la dédommager de ce qu'elle appelait une in-
compréhensible injustice. Avec cette haute idée
des prérogatives de la noblesse, elle pensait que
dans cette classe on ne pouvait exister qu'à la
cour, et que partout ailleurs on végétait hors de
sa place ; enfin la cour était pour elle ce qu'est la
patrie pour tous les hommes. Alonzo connaissait
très peu Amalia ; elle était du nombre de ces
heureuses personnes que dans le monde on ne
juge point, parce qu'on ne prend jamais la peine
de les étudier, et que, par l'insipidité de leur esprit et de leur caractère, elles sont à l'abri de
toute malignité. Alonzo n'avait voulu avoir pour
Inès qu'une compagne d'un âge mûr, afin de pouvoir avec décence lui faire passer dans son châ-

teau tout le temps de son deuil ; persuadé qu'A-
malia était une bonne personne, sans ambition,
sans prétentions, il avait cru faire un excellent
choix ; il se trompait. Lorsque la violente douleur
d'Inès fut un peu calmée, Amalia acheva d'égarer
l'imagination d'une enfant que l'inexpérience
mettait hors d'état de sentir ses ridicules. Comme
Amalia admirait en général tous les princes, elle
lui parla de dom Pèdre avec enthousiasme ; elle
avait d'ailleurs un puissant motif de s'intéresser à
ce jeune prince, car un jour, dans une cérémonie
publique, il l'avait fait placer d'une manière
convenable à son rang ; aussi assura-t-elle qu'il
avait toutes les vertus désirables dans l'héritier du
trône. Quelques questions hasardées en rougissant
et avec une extrême timidité l'engagèrent facilement à faire le portrait le plus détaillé de la figure de dom Pèdre. Inès apprit qu'il avait de
grands yeux noirs pleins de feu et d'expression,
des dents d'un éclat éblouissant, une taille admirable, « le port, le maintien et les manières du
maître du monde ». Amalia avait entendu ces paroles à jamais mémorables sortir de sa bouche :
« Mademoiselle Amalia de Nugnès doit être placée sur la ligne des filles d'honneur ! » et elle assurait, dans la sincérité de son âme, qu'il avait
« un son de voix enchanteur » !

Enfin Amalia vanta avec la même vivacité les

pompes de la cour et le bonheur d'y être attaché.
Il y avait dans toutes ces peintures la plus gros-
sière exagération ; mais elles n'en étaient pas
moins dangereuses. Inès, en se les rappelant, se
disait : Ce n'est pas sa manière de conter sans
esprit et sans grâce qui peut faire illusion ; mais
les choses qu'elle décrit sont si ravissantes, que,
retracées ainsi sans aucun art, elles charment par
elles-mêmes.

Bientôt, Amalia, ravie de se voir écoutée avec
tant de plaisir, fit de profondes réflexions sur la
jeunesse, la beauté, la naissance d'Inès, et sur le
parti qu'elle pourrait tirer de sa confiance. Il était
bien facile de placer Inès à la cour : Amalia n'y
avait point d'amis ; Inès pouvait devenir une puis-
sante protectrice... Depuis ce trait de lumière,
Amalia, avec un art dont les femmes les moins
spirituelles ont toujours le secret, mit tous ses
soins à flatter Inès, à lui persuader qu'elle joue-
rait le rôle le plus brillant à la cour, qu'elle y
effacerait tout ce qu'on y admirait, et enfin à lui
inspirer le désir d'y paraître. Elle croyait ne séduire que la vanité d'Inès ; mais en même temps
de tels discours n'agissaient que trop sur son
cœur. Et Inès prit enfin la résolution de sortir de
son heureuse obscurité et d'abandonner sa paisible solitude. Alonzo, vaguement inquiet de ses
sentiments, n'avait aucun soupçon de ses desseins.

Il la voyait rêveuse, préoccupée ; mais il attribuait sa distraction et sa mélancolie aux regrets si naturels que lui causait la perte de sa grand-mère. Il laissa écouler ainsi cinq ou six mois sans lui parler de son amour et de ses espérances. Au bout de ce temps, le jour même où Inès venait d'atteindre sa dix-septième année, il la conduisit dans le parc (on était au commencement du printemps) ; là, s'asseyant avec elle sur un banc de verdure, il prit la parole avec une vive émotion, et lui tint ce discours : « Jusqu'ici, ma chère Inès, j'ai par mon silence respecté votre juste douleur... Je vous ai laissé le temps de réfléchir mûrement à votre situation... Maintenant il faut, pour votre bonheur, et par conséquent pour le mien, que je connaisse parfaitement vos projets et votre décision... Vous savez quels ont été les derniers vœux de celle que nous pleurons, et mon cœur les formait avec elle au moment même où je vous empêchai de les exaucer par un serment inviolable... Jouissez pleinement de la liberté que j'ai voulu vous conserver. Parlez avec assurance et sans déguisement ; qu'attendez-vous de moi ? que voulez-vous ? Parlez. » Quoique Inès eût prévu cette embarrassante explication, et qu'elle s'y fût préparée, elle demeura quelques minutes sans répondre. La reconnaissance et la plus tendre amitié, tout, jusqu'au souvenir de sa grand-mère, combattait au fond de son âme de folles idées et d'imprudents projets...

Cependant, en hésitant, et quoique ses résolutions fussent ébranlées, elle voulut être sincère ; et, poussant un profond soupir : « C'est à vous, dit-elle, à fixer ma destinée... Une volonté sacrée pour moi vous en a rendu l'arbitre... et vous pouvez compter sur mon obéissance. Mais je ne vous dissimulerai point que, malgré ma profonde estime et mon tendre attachement pour vous, j'ai de l'éloignement pour le mariage, et qu'une curiosité peut-être imprudente, et que je n'ai pu vaincre jusqu'ici, m'inspire le désir de voir, de connaître le monde et la cour... et, s'il m'était permis de disposer de moi-même, je solliciterais une place auprès de la Reine... En même temps, je suis prête à vous sacrifier mon goût et ma volonté : si vous désirez ma main, elle est à vous ; si vous ne voulez pas que je quitte cette solitude, j'y resterai sans résistance. Prononcez. » A ces mots, Alonzo, glacé, confondu, regarda fixement Inès en silence ; ensuite, levant les yeux au ciel : « Grand Dieu ! s'écria-t-il, est-ce la petite-fille, l'élève de la sage Mélinda que je viens d'entendre ?... Quoi ! sans aucune idée du monde, et sans vous mettre sous la sauvegarde d'un époux, vous voulez, à dix-sept ans, vous aller jeter dans le tourbillon de la cour !... » Cette espèce de reproche blessa Inès. C'est une grande maladresse de choquer la vanité quand on pourrait toucher le cœur. Alonzo aurait tout obtenu de la sensibilité d'Inès ; il fit dans cette occasion une faute irréparable ; mais jusqu'alors il n'avait aimé qu'une ombre, qu'un être à moitié créé par son imagination ; il ne connaissait pas les femmes ; il ignorait que non seulement il est possible qu'un profond attendrissement les ramène tout à coup dans les routes du devoir, mais qu'il peut aussi les y entraîner avec enthousiasme... Inès refroidie s'affermit dans ses premières résolutions ; et le dépit lui donnant du courage :

« Je suis sûre, dit-elle, que, par la pureté de mes sentiments et de ma conduite, je me rendrai digne de l'éducation que j'ai reçue... D'ailleurs je ne serai point sans guide à la cour ; les filles d'honneur ont une gouvernante, et elles ont dans la Reine un juge imposant de toutes leurs actions. Enfin, comme ma naissance me donne le droit d'aller à la cour, je désire en profiter ; et, puisque vous n'y mettez point d'obstacle, je vous conjure de faire à ce sujet les démarches nécessaires. » A cette déclaration si ferme, si sèche et si précise, Alonzo, blessé à son tour, et profondément affligé, se leva en disant : « Je vous le répète, vous êtes maîtresse de votre sort ; mais mon devoir est de vous représenter tous les inconvénients du parti que vous voulez prendre ; ensuite j'agirai comme vous le prescrirez. »

Ainsi se termina ce triste entretien, qui bouleversa la destinée du malheureux Alonzo. Il alla s'enfermer dans sa chambre, et, tombant sur une chaise : « Oui, dit-il, je suis né pour souffrir... Ingrate Inès ! que de peines tu me prépares !... N'importe, je veillerai sans espérance sur ton orageux avenir ; je l'ai promis... Mon sort, dans tous les temps, est de m'immoler pour ce que j'aime... »

Alonzo écrivit à Inès une longue lettre, dans laquelle il combattit son projet par les raisonnements les plus sages. Il finissait par la conjurer d'y réfléchir encore un mois. Toutes les représentations furent inutiles. Inès avait déclaré avec fermeté ses sentiments ; d'ailleurs elle était encouragée en secret par les pernicieux conseils d'Amalia. Elle persista, et Alonzo désespéré partit pour Lisbonne, afin d'y aller solliciter la place qu'elle désirait avec tant d'ardeur. Inès, ne voulant point se séparer d'Amalia, resta dans le château d'Alonzo. Il fut décidé qu'elle y attendrait son retour.

Inès allait quelquefois avec Amalia se promener aux environs du château. Un jour, assise à côté d'elle au bord d'une fontaine, sous un ombrage épais, elle parlait de Lisbonne, et elle oubliait l'heure. La fontaine était située à cinquante pas d'un chemin de traverse qui aboutissait à la grande route. Tout à coup on entend dans l'éloignement un bruit de chevaux et de voitures. Ce ne pouvait être Alonzo, qui ne devait revenir que dans quinze jours... On écoute... On distingue que beaucoup de chevaux, qu'un grand train s'avance... « Le prince royal, s'écrie Amalia, voyage en ce moment dans les provinces... Si c'était lui... » A ce nom, Inès tressaille... Amalia lui propose d'aller du côté du grand chemin. Un sentiment de modestie et de dignité empêche Inès d'accepter cette proposition ; elle reste en soupirant à sa place... Mais avec quelle attention elle écoute ! et chaque mouvement de la voiture, qui s'approche, accélère celui des battements de son cœur... Enfin on entend avec surprise que la voiture passe dans le chemin de traverse... Inès, de premier mouvement, se lève avec précipitation, écarte les feuillages qui la couvrent, jette les yeux sur le chemin, et c'est au moment même où la voiture, passant dans une profonde ornière, chancelle, tombe et se renverse avec un horrible fracas... Inès, saisie d'effroi, s'appuie sur le bras d'Amalia. Elle était prête à s'évanouir, lorsque ces terrible paroles frappèrent son oreille : « Ah ! monseigneur, ne me tuez pas !

– Misérable ! répond une voix foudroyante... ne

t'avais-je pas défendu de quitter la grande route ?
Tu mourras !... »

A ces mots, Inès s'élance dans le chemin, en
s'écriant : « Grâce ! Grâce !... » Un jeune homme
furieux, qui venait de sortir de la voiture renver-
sée, et de mettre l'épée à la main, allait atteindre
le postillon et l'immoler à sa colère, lorsqu'il entendit les doux accents de cette voix touchante
qui semblait venir du ciel... Il se retourne avec
saisissement, et il reste en extase à l'aspect de
cette figure céleste, à genoux, les mains jointes,
répétant toujours : « Grâce ! Grâce ! » et à dix pas
de lui. Dom Pèdre (car c'était lui-même) court
avec impétuosité vers Inès ; il met un genou en
terre devant elle pour l'aider à se relever ; ensuite
il brise à ses pieds le fer qui a pu l'effrayer. Au
même instant, se retournant vers le postillon, il
tire de sa poche une bourse pleine d'or, et, la lui
jetant :

« Prends cet or, lui dit-il ; je veux que tu bénis-
ses à jamais l'ange qui t'a sauvé : tous les ans,
jusqu'à la fin de ta vie, tu recevras, à pareil jour,
une somme égale à celle que contient cette
bourse... »

Ces paroles transportèrent Inès d'admiration et
de reconnaissance ; et, comme elle balbutiait un
remerciement, elle s'aperçut que le prince était
tout couvert de sang. Amalia, que la frayeur

avait empêchée de s'approcher, accourut quand elle entendit des paroles de paix. Elle s'apprêtait à présenter Inès au prince, et avec autant de solennité que si elle eût été dans le palais de Lisbonne, lorsque, affaibli par le sang qu'il perdait et par les violentes émotions qu'il venait d'éprouver, il perdit subitement l'usage de ses sens. Les gens de sa suite le reçurent dans leurs bras. Amalia proposa sur-le-champ de le transporter au château ; ce qui fut accepté. La tremblante Inès, inondée de larmes, appuyée sur Amalia, les suivit tristement... Amalia, faisant avec emphase les honneurs du château d'Alonzo, son parent, établit le prince dans le bel appartement, et c'était celui d'Inès, dont elle disposa avec autorité, sans même demander son consentement.

Il y avait dans ce château, comme dans tous ceux de ce temps, un chirurgien attaché à la maison, et qui fut appelé à l'instant. Dom Pèdre, posé sur un lit, reprit sa connaissance, et fut étrangement surpris de se trouver dans un grand appartement inconnu... Garcias, un seigneur de la cour de dom Pèdre, qui le suivait toujours dans ses voyages, lui apprit qu'il était chez Alonzo, absent dans ce moment, et que les deux dames qu'il avait vues sur le chemin étaient l'une la jeune Inès, pupille d'Alonzo, et l'autre Amalia de Nugnès. Dom Pèdre soupira ; il serra fortement la main de Garcias, son ami, en disant : « Garcias, je vous parlerai ce soir... » Cependant le chirurgien visita les plaies de dom Pèdre. Le prince en avait deux à la cuisse, faites par les glaces brisées de la voiture ; en outre, il avait l'épaule gauche démise. Le chirurgien était habile ; il fit avec succès tout ce qu'exigeait l'état du prince, et il assura qu'il n'avait besoin que de repos pour guérir promptement.

Inès, depuis l'arrivée du prince, retirée dans le logement d'Amalia, attendait en tremblant la décision du médecin ; elle pleurait en liberté ; elle était seule, car Amalia, pénétrée de l'importance de son rôle dans ce jour solennel, parcourait le château pour donner une multitude d'ordres, presque tous inutiles, et souvent contradictoires ; elle fatiguait et occupait tous les domestiques ; mais elle s'épargnait si peu elle-même, que l'on ne pouvait équitablement se plaindre du bouleversement général qu'elle causait dans la maison. Cependant le prince, s'étant fait mettre sur un canapé, renvoya tout le monde, à l'exception de Garcias, son favori.

Garcias n'avait ni un grand caractère ni une faiblesse méprisable : quoiqu'il fût incapable de faire ou d'approuver une mauvaise action, et de flatter avec bassesse ou avec un dessein coupable, il manquait de forces en mille occasions, non par défaut de lumières, mais par égoïsme ; il voulait bien, pour donner un avis utile, risquer de déplaire au prince, il n'avait jamais le courage de s'exposer à l'irriter ; il y avait plus de rectitude dans ses jugements que dans ses actions, et moins de délicatesse dans sa conscience que dans ses principes ; il était vertueux avec tiédeur, souvent avec quelques restrictions : il avait de l'esprit, des penchants honnêtes, des opinions raisonnables, mais une âme commune.

Dom Pèdre parla d'Inès à Garcias, et ce fut avec enthousiasme ; il le chargea de prendre des informations sur elle : Garcias répondit froidement à cette espèce de confidence, sans avoir l'air de croire que le prince y attachât un grand intérêt. Au milieu de cet entretien, on vint demander Garcias de la part d'Amalia, pour savoir des nouvelles du prince. Garcias rappela à dom Pèdre qu'il avait vu deux ou trois fois Amalia à la cour, et dom Pèdre la fit inviter à venir recevoir ses remerciements. Amalia, au comble de ses vœux, arriva sur-le-champ, et à peine était-elle assise, qu'elle lui demanda la permission de lui présenter « Inès de Castro, digne d'un tel honneur par sa naissance ». Après cette phrase, Amalia allait entrer dans quelques détails généalogiques sur la famille illustre de Castro, elle n'aurait pas laissé ignorer au prince que la trisaïeule d'Inès avait eu la gloire de s'unir à un prince du sang royal ; mais dom Pèdre l'interrompit pour l'assurer qu'il verrait Inès avec le plus grand plaisir. Amalia le remercia, comme si cette faveur n'eût été accordée avec tant d'empressement et avec un ton si affable qu'en considération de l'intérêt qu'elle y mettait. Elle alla chercher Inès. Cette dernière, embellie encore par son trouble et par sa timidité, acheva d'enflammer la plus ardente imagination et de toucher un cœur qui n'avait jamais véritablement aimé, et qui était susceptible d'éprouver la plus violente passion. Amalia, durant cet entretien, apprit au prince qu'Inès sollicitait une place auprès de la reine. Dom Pèdre, enchanté de cette découverte, répondit avec feu qu'elle l'obtiendrait sûrement : Amalia crut devoir le remercier ; en même temps, elle fit entendre qu'elle désirait aussi, et avec passion, une place semblable pour elle-même, et dom Pèdre n'hésita point à lui promettre de la demander ; il ajouta qu'après la manière dont on avait rempli envers lui dans ce château les devoirs de l'hospitalité, il était impossible qu'on le refusât. La joie d'Amalia fut extrême ; et, comme elle ne se lassait point de l'exprimer, et que dom Pèdre l'écoutait avec distraction, Inès se leva pour terminer et la conversation et la visite : en prenant congé du prince, elle s'approcha de lui en rougissant, et lui présentant une clé :

« Seigneur, lui dit-elle, vos gens ont fait demander la clé du grand coffre d'ébène, placé dans
cette chambre pour y déposer vos portefeuilles,
voilà cette clé ; oserais-je vous supplier, seigneur,
de me permettre de prendre dans ce coffre, en y
remettant la clé, des papiers très importants pour
moi, qui m'appartiennent... » A ces mots, dom
Pèdre, la regardant fixement : « Ce sont donc,
madame, lui dit-il, des papiers de famille ?

— Non, seigneur, répondit Inès en baissant les
yeux ; ces papiers n'intéressent que moi...

— Que peuvent-ils donc contenir ?

— Tous mes secrets...

— Vos secrets ! ce sont donc ceux de votre
cœur... vous n'en pouvez avoir d'autres... confiez-
les-moi, madame...

— Oh ! ciel, s'écria Inès, non jamais... »

Ces paroles, prononcées de premier mouvement, blessèrent profondément l'impérieux dom
Pèdre, et surprirent Amalia et Garcias, qui, debout, écoutaient ce dialogue. Amalia surtout fut
scandalisée, et même effrayée de cette hardiesse ;
elle se hâta d'assurer le prince qu'Inès, en y réfléchissant, sentirait tout le prix d'une telle bonté.
Dom Pèdre reprenant la parole, et s'adressant à
Inès : « Je devine facilement ce secret, dit-il ; vous
aimez... et quelque obstacle s'oppose à votre bonheur... Je ne veux que vous servir, je m'y engage,

recevez-en ma parole... Réfléchissez-y, madame ; je ne suis pas du moins un confident à dédaigner... Emportez cette clé ; allez, demain vous me répondrez. » A ces mots, Inès, tremblante, intimidée, ne répliqua rien ; elle fit une profonde révérence, et se hâta de se retirer, avec Amalia, qui se promit bien de lui reprocher l'imprudence de sa conduite, et ce qu'elle appelait son ingratitude pour un prince héritier du trône de Portugal.

Dom Pèdre, se retrouvant seul avec Garcias, ne se contraignit plus : « Quoi ! s'écria-t-il, à son âge avoir déjà disposé de son cœur ! et dans cette solitude qu'elle n'a jamais quittée !... car il est évident, d'après sa rougeur et son mortel embarras, que ses papiers, auxquels elle attache tant d'importance, ne sont autre chose que des lettres d'amour qu'elle aura reçues furtivement !

– En effet, dit Garcias, on voit clairement qu'elle veut cacher une intrigue d'amour, opposée sans doute aux vues de son tuteur... Mais, seigneur, que vous importe !

– Que m'importe ! reprit dom Pèdre ; ne voyez-vous pas que je suis éperdument amoureux ; ce n'est point une fantaisie, un sentiment vulgaire, c'est une passion violente, irrésistible, et que rien n'arrachera de mon cœur : si le sien s'est donné, je veux, aux dépens de tout le bonheur de ma vie, la protéger, la servir, surmonter tous les obstacles qui l'affligent, et l'unir à ce qu'elle aime. Je serai capable de me sacrifier pour elle ; mais je ne puis supporter l'idée de rester pour jamais étranger à sa destinée, il faut que je sois désormais son persécuteur, son ravisseur peut-être, ou son confident et son bienfaiteur. »

Dom Pèdre s'exprimait avec une véhémence qui ne fit que trop connaître à Garcias toute la violence de sa passion ; cependant il savait que ce prince impétueux avait un caractère rempli de grandeur et de générosité ; en même temps Garcias ne doutait pas qu'Inès n'eût un attachement secret ; il était certain que le prince tiendrait ses promesses ; ainsi il pensa qu'un aveu sincère d'Inès mettrait fin, sans danger, à toute cette aventure. Dans cette idée, il se chargea sans résistance, et même avec plaisir, de parler à Inès, comme le désirait le prince, et en effet, dès le lendemain matin, il eut dans le parc un long entretien avec Inès. Il lui dit que dom Pèdre, vivement touché des soins dont il était l'objet, voulait absolument assurer l'existence et le bonheur des deux personnes qui lui avaient rendu un si grand service ; qu'il devinait facilement que dans les papiers qu'Inès redemandait se trouvaient exprimés tous les vœux secrets de son cœur, et que, puisqu'elle en faisait un mystère, ces vœux étaient contrariés ; que le prince voulait les connaître, pour aplanir toutes les difficultés ; qu'enfin il lui demandait une entière confiance, c'est-à-dire la communication de ses papiers ; qu'il donnait sa parole, et que cette parole était inviolable, qu'après cette preuve touchante d'estime il entrerait dans toutes ses vues, et deviendrait son protecteur le plus ardent et le plus zélé. Inès s'était flattée que cette fantaisie du prince passerait avec un instant de réflexion ; mais elle était loin de se faire une idée de l'étonnante bizarrerie de son caractère. Sa surprise et son embarras furent extrêmes : décidée à ne pas laisser voir ses papiers, elle déclara nettement qu'elle ne pouvait les montrer.

« Quelque chose qu'ils puissent contenir, reprit Garcias, n'hésitez pas, madame, à satisfaire le prince à cet égard. Il est généreux, il est magnanime ; mais il y a de la singularité dans son caractère ; et, quand il vous offre son crédit, toute sa protection, il ne supporterait pas le refus d'une marque de confiance... Au nom du ciel, ne l'irritez pas...

— Mais le secret que je veux cacher est une folie que rien ne peut guérir, un malheur auquel nulle protection ne peut remédier...

— Ce secret est un amour sans espérance ?...

— Vous l'avez deviné.

— Eh quoi ! celui que vous aimez est donc engagé...

— Non, il est libre ; mais...

— Dès qu'il est libre, tout peut s'arranger. Je vous en conjure pour votre repos, confiez tout au prince...

— Je ne le puis.

— Vous vous perdrez...

— Je veux ravoir mes papiers ; j'aime mieux mille fois déplaire au prince que les laisser entre ses mains...

— Je vous le répète, vous vous perdrez.

— Comment ! que puis-je craindre ?

— Tout. Il sera furieux, et capable de se porter aux dernières extrémités...

— Grand Dieu ! que dois-je faire ?...

— Ce qu'il désire.

— Quelle tyrannie !... Il m'est impossible d'y céder...

— Puisqu'il faut tout vous révéler pour vous décider, sachez donc, madame, que le prince a conçu pour vous la plus violente passion.

— Il m'aime ?...

— Il vous adore ; et, si vous lui ravissez la gloire de vous faire un éclatant sacrifice, il lui faudra une vengeance...

— Il m'aime ! En êtes-vous bien sûr ?...

— Je n'en puis douter.

– Vous l'a-t-il dit ?

– Oui, madame. Mais ne craignez point son amour, si vous lui montrez une confiance sans réserve. Sa grande âme mettra sa félicité dans la vôtre ; il s'immolera pour vous avec transport. Il deviendra le bienfaiteur de son rival ; il fera sa fortune, s'il n'en a point ; il le comblera d'honneurs ; il obtiendra le consentement de ses parents, et celui de votre tuteur ; il vous conduira tous les deux à l'autel, et ensuite il ne vous reverra jamais. Voilà ses projets ; voilà de quoi il est capable...

– Ô généreux prince !...

– Mais si vous l'irritez par un refus injurieux, il ne se connaîtra plus ; il sera terrible dans son désespoir...

– Hélas ! quel parti prendre ?... »

En disant ces mots, Inès tomba sur un banc ; un ruisseau de larmes inonda son visage. Garcias, qui ne pouvait imaginer combien sa situation était embarrassante et cruelle, tâchait vainement de l'encourager ; elle ne lui répondait plus, et elle employait tout son esprit et toute son imagination à chercher un moyen d'échapper au danger pressant qui la menaçait. Elle n'en trouva qu'un seul. Il demandait le plus douloureux, le plus grand de tous les sacrifices, et elle se promit d'y recourir, si le ciel ne lui en offrait point d'autre.

« Eh bien, dit-elle enfin à Garcias, je laisserai ces papiers entre les mains du prince, et je lui dirai moi-même aujourd'hui à quelle condition. »

Garcias, satisfait d'une telle promesse, alla porter cette réponse à dom Pèdre, qui attendit avec une impatience inexprimable l'entrevue dans laquelle on devait lui confier ce précieux dépôt, et lui expliquer la mystérieuse restriction que l'on mettait à cette faveur. Dom Pèdre, quoiqu'il eût beaucoup de peine à marcher, était levé et debout, lorsqu'enfin on lui annonça Inès et Amalia. Il s'avança vers elles ; et, Inès prenant aussitôt la parole :

« Seigneur, lui dit-elle, je viens vous prouver combien je suis reconnaissante de la générosité de vos intentions, en vous donnant une marque de confiance que je n'accorderais à qui que ce soit au monde. Vos bontés, Seigneur, ne peuvent changer mon sort ; mais il m'est doux de vous en témoigner ma profonde sensibilité. »

En disant ces paroles, Inès s'approcha du coffre d'ébène ; elle l'ouvrit, et elle en tira une liasse de papiers, enveloppée dans une feuille de parchemin blanc, nouée avec un simple ruban, et non cachetée.

« Voilà, seigneur, dit-elle, ces papiers auxquels j'attache un si grand prix. Soyez-en le dépositaire ; je vous conjure seulement de n'ouvrir ce paquet que dans quinze mois, au bout de ce temps, vous serez maître de tout lire ; et ce qu'il contient sera alors aussi peu connu, aussi secret, que dans ce moment. Daignez me promettre que vous ne lirez point ces papiers avant l'expiration du terme que j'indique, et ils sont à vous... » À ces mots, dom Pèdre étonné réfléchit un moment ; ensuite il répondit qu'il la remerciait, qu'il était vivement touché de cette preuve d'estime, qu'il se soumettait à tout ce qu'elle exigeait, qu'il donnait sa parole de n'ouvrir ce paquet que dans quinze mois. Il finit en la priant de cacheter cette liasse de papiers.

« Non, seigneur, dit Inès, votre parole me suffit ; je n'ai pas besoin d'autres sûretés. »

Cette candeur et cette noble confiance attendrirent dom Pèdre, et le transportèrent d'admiration et de reconnaissance : cependant il insista sur cette précaution ; et, en présence d'Inès, il cacheta sur-le-champ le paquet avec le plus grand soin.

« Ainsi, madame, reprit-il, je ne saurai donc que dans quinze mois tout ce qui vous intéresse. Ce terme est bien long... Croyez du moins que ce n'est point une vaine curiosité qui m'a fait agir, mais que je suis animé du désir passionné de vous servir ; et, puisque votre situation sera la même dans quinze mois, je me flatte toujours, quoi que vous en puissiez penser, qu'il me sera possible alors de vous prouver mon zèle et mon dévouement d'une manière utile à vos intérêts. »

Inès s'inclina respectueusement, et ne répondit rien. Amalia, persuadée que le secret d'Inès n'était qu'un pur enfantillage, prit la parole pour faire là-dessus quelques plaisanteries que personne n'écouta, et qu'Inès termina en se retirant. Lorsqu'elles furent sorties, dom Pèdre, tenant encore le paquet de papiers qu'on venait de lui confier le regarda en soupirant.

« Que ne donnerais-je pas, dit-il, pour connaître tout ce que contient cette enveloppe ! Mais elle est sacrée pour moi ; ces cachets ne seront brisés qu'à l'époque prescrite... Garcias, elle vous a dit qu'elle aimait ?

— Oui, seigneur, et vous devez bien penser que tout ce mystère ne peut cacher qu'un secret d'amour...

— Cet heureux rival, que je le hais !...

— Seigneur, vous avez pris l'engagement solennel de le protéger...

— Oui, de tout faire, de tout sacrifier pour le bonheur d'Inès. Mais si elle changeait !... En y réfléchissant, je ne suis pas fâché de ne devenir son confident que dans quinze mois. D'ici là, son cœur peut-être recevra d'autres impressions... Quel est donc cet objet qu'elle aime ?...

Serait-ce le sévère et sauvage Alonzo, son tuteur ?...

— En effet, Alonzo est aimable, elle ne connaît que lui...

— Il faut donc supposer qu'il est insensible à tant de charmes. Est-ce une chose possible ?...

— L'austère sagesse d'Alonzo l'a toujours préservé de l'empire des passions. On sait d'ailleurs qu'il est décidé à ne jamais se marier ; on croit même qu'il en a fait le vœu et quand il n'aurait pas pris cette résolution, il n'épouserait certainement qu'une personne d'un âge parfaitement assorti au sien.

— Oui, je n'en doute pas, c'est Alonzo qu'elle aime ou qu'elle croit aimer ; elle n'a vu que lui, et son innocence peut si facilement confondre l'estime et l'amitié avec l'amour ! Elle va venir à la cour ; là, je la verrai sans cesse, et...

— Mais, seigneur, quel est votre dessein ?...

— De fixer mon imagination qui me dévore, de donner à ma vie un charme, un intérêt qui lui manque; à mes actions un but qui les ennoblisse ; enfin d'adoucir mon humeur, mes mœurs, mon caractère, en m'attachant à un être angélique plein de candeur, de douceur, d'innocence et de sensibilité...

— Songez-vous, seigneur, au trouble, au désordre affreux que votre amour pourrait répandre sur sa vie ?...

– Soyez sûr, Garcias, que je ne serai point un vil corrupteur ; je ne veux ni la tromper, ni la séduire. C'est elle qui pourra tout sur moi. J'ai besoin de confier ma destinée ; je sens trop combien elle serait orageuse et peut-être coupable, si j'en disposais seul. Nulle force humaine ne pourrait dominer ma volonté ; mais je puis la sacrifier volontairement. Que je trouverais de douceur à n'être plus gouverné par des désirs vagues et tumultueux, à m'affranchir de l'effort si souvent infructueux d'y résister, ou du repentir amer d'y avoir cédé ! Dès le premier moment où mes yeux, pour la première fois, se sont arrêtés sur cet objet enchanteur, n'a-t-elle pas pris sur moi cet empire salutaire ?... J'étais entraîné par une aveugle fureur ; j'allais tuer un homme ; un seul mot d'Inès a dissipé ma colère, a désarmé mon bras... C'est cette voix si pure qui pourrait me donner des lois suprêmes, c'est ce regard céleste qui portera toujours à la fois dans mon âme un calme délicieux, et tout l'enthousiasme que peuvent inspirer les vertus généreuses.

– Mais l'objet d'une telle affection paraîtra sans doute dangereux ; on voudra l'éloigner de la cour...

– Vous croyez, je l'espère, que je saurais défendre ce que j'aime.

– Qu'opposer à une autorité souveraine ?

– Dans ce cas, on la renverse, ou l'on périt. »

Dom Pèdre prononça ces paroles avec une voix si menaçante, ses yeux étaient si étincelants, et son regard si terrible, que Garcias n'osa répliquer. Le prince garda quelques minutes un farouche silence ; ensuite il changea d'entretien.

Dom Pèdre, décidé à partir le lendemain, voulait absolument, avant de quitter Inès, s'entretenir sans témoins avec elle.

Il semble qu'il y ait dans l'amour une intelligence mystérieuse qui prévoit, qui devine, et qui fait qu'on se rencontre sans se donner de rendez-vous. Un même sentiment produit les mêmes idées. Dom Pèdre pensa qu'Inès retournerait dans les jardins. Inès imagina qu'on pourrait bien encore lui envoyer un message, et, aussitôt après le dîner, se débarrassant d'Amalia, elle descendit dans le parc, mais sans s'éloigner du château. Elle marchait lentement. A la vue des fenêtres de l'appartement de dom Pèdre, elle ne se promenait pas, elle se montrait ; c'était appeler... On l'entendit. Tout à coup, en se retournant, elle aperçut dom Pèdre à vingt pas d'elle. À son aspect, elle fut plus émue que surprise ; son cœur en secret l'attendait. La rougeur sur le front et les yeux baissés, elle s'avança vers le prince, dont la marche était chancelante, car il souffrait beaucoup de ses blessures. Inès lui offrit un bras tremblant,

qu'il accepta d'un air attendri. Inès le conduisit
en silence dans une allée où se trouvait un grand
banc de marbre, sur lequel le prince invita Inès à
s'asseoir à côté de lui. Inès obéit, sans oser proférer une seule parole.

« J'ai désiré, madame, lui dit-il, m'entretenir
avec vous sans contrainte avant de quitter ce château, d'où j'emporterai de si chers souvenirs...
mais j'ai besoin d'être rassuré sur ceux que je
vous laisse... Hélas ! nous nous sommes apparus
l'un à l'autre sous des traits si différents !... En
jetant pour la première fois les yeux sur vous, j'ai
vu un ange envoyé du ciel... En m'apercevant
avec épouvante, vous n'avez pu voir en moi qu'un
forcené, qu'un homicide !... Dans ce premier moment, je n'ai pu exciter que votre effroi, votre
indignation, votre haine, et vous méritiez mon admiration, ma reconnaissance, mon amour... Vous
m'avez épargné un crime, et par conséquent un
remords éternel. Quel bienfait !... Je brûle du désir de m'acquitter envers vous ; et c'est à ce sentiment que vous devez attribuer l'espèce de violence que j'ai employée pour obtenir la confidence
de tous vos secrets... Vous voir un sort heureux est devenu le premier vœu de mon cœur ;
le second serait de contribuer à vous l'assurer. Je n'ose en former un autre... Du moins,
dites-moi, madame, que vous ne dédaignez point

mon amitié, et que vous m'accordez la vôtre...

– Ah, seigneur ! répondit Inès, si vous lisiez dans mon âme... vous y verriez des sentiments... qu'il m'est impossible d'exprimer... »

Ces paroles furent prononcées avec un accent si naïf et si tendre, que dom Pèdre n'aurait pas douté de son bonheur, s'il n'eût pas été persuadé qu'Inès nourrissait en secret un autre sentiment. Cependant cette réponse le charma.

« Eh ! pourquoi donc, madame, reprit-il, cette âme si pure et si sensible a-t-elle encore tant de réserve avec moi ?...

– Seigneur, vous saurez tout dans quelques mois, et vous connaîtrez alors avec surprise que toutes vos conjectures sont fausses...

– Mais vous avez positivement avoué à Garcias que vous aviez une passion malheureuse ?...

– Seigneur... pour me débarrasser de questions importunes, je lui ai laissé croire ce qu'il imaginait deviner.

– Qu'entends-je, ô ciel !... votre cœur serait libre !...

– Vous m'avez promis de ne point m'interroger...

– Votre cœur serait libre !...

– Ce triste cœur n'est connu de personne au monde... ses sentiments et ses peines ne sont exprimés que dans les écrits que je vous ai confiés...

– Dans quel étonnement vous me jetez !...
Quoi ! vous souffrez, et l'amour n'est pas la cause
de vos chagrins ?...

– Souvenez-vous, seigneur, que je ne m'expli-
que point ; je dis seulement que ni vous, ni qui
que ce soit dans l'univers ne peut deviner mon
secret, et que toutes vos suppositions ne sauraient
vous faire entrevoir la vérité...

– Ah ! j'espère que vous vous abusez vous-
même sur votre situation ; vous avez si peu d'expérience... Vous persistez à ne me déclarer votre
secret qu'à cette époque éloignée que vous avez
fixée, et je ne puis vous cacher le mien... Ces
papiers, qui sont, dites-vous, ce que vous possédez
de plus précieux, vous les avez remis entre mes
mains, et moi je dépose ma destinée dans les vô-
tres...

– Quoi ! seigneur...

– Oui, je ne veux plus être responsable de mes
actions ; c'est vous qui les dirigerez... Je vous sa-
crifie les plus impérieuses volontés, heureux de
me soumettre à un joug que l'amour seul pouvait
m'imposer !... Aimé ou non, je me dévoue à vous
servir, à vous obéir : vous pouvez faire la félicité
de ma vie ; mais du moins vous en ferez toujours
la gloire, alors même que vous ne pourriez partager cette ardente passion qui ne finira qu'avec ma
vie. Vous dompterez mon caractère, vous m'inspi-

rerez des actions héroïques ; un seul mot de votre bouche me donnera la force de les exécuter ; vous ranimerez dans mon âme le flamme généreuse de la vertu : ce feu sacré, entretenu par vous, ne pourra ni s'éteindre, ni s'affaiblir, et je jouirai avec ivresse de ma renommée ; elle sera votre ouvrage. Adieu, madame... Nous nous reverrons bientôt à Lisbonne... Pensez au bien que vous pouvez me faire, et à tout ce que j'attends de vous. »

A ces mots, le prince se lève ; il tressaille en voyant un déluge de pleurs inonder les joues d'Inès. Il saisit sa main, la presse dans les siennes avec transport...

« Allez, seigneur, dit Inès, allez, et croyez que je justifierai l'estime dont vous daignez m'honorer, puisqu'elle doit m'élever au-dessus de moi-même. »

En disant ces paroles, Inès se hâta d'essuyer ses larmes.

« Ô jour le plus beau de ma vie ! s'écria dom Pèdre, jour où je me suis donné à vous !... N'oubliez jamais que ce dévouement fut si pur et si passionné qu'il n'eut pas besoin d'espérance... »

Dans ce moment, Amalia et Garcias parurent de loin au bout de l'allée. Inès ne songea plus qu'à dissimuler son trouble ; elle conjura le prince de cacher le sien, et tous les deux allèrent rejoin-

dre Amalia. Cette dernière dit à dom Pèdre que
les personnes les plus considérables du voisinage
étaient rassemblées dans le salon, dans l'espoir de
l'entrevoir un moment. Inès parut désirer que le
prince reçût avec bonté ces hommages. Aussitôt
dom Pèdre, saisissant avec ardeur la première occasion de lui obéir, se rendit dans le salon. Il y
fut aimable, comme on l'est toujours lorsque le
désir de plaire vient du cœur. Une foule de pay-
sans remplissait les cours. Il alla se montrer à
cette multitude avide de le voir ; il leur fit distri-
buer de l'argent avec profusion ; il porta au
comble l'ivresse de l'enthousiasme. On entendait
de toutes parts dans le salon répéter ses louanges ; et, dans les cours et les jardins, les acclamations les plus bruyantes célébraient à l'envi sa
magnificence et sa bonté. Au milieu de tout ce
tumulte, l'heureuse Inès n'osait ni parler ni lever
les yeux, dans la crainte de trahir son invincible
attendrissement. Sur le soir, dom Pèdre s'approcha d'elle, et lui dit :

« Que tous ces éloges me touchent ! C'est à
vous qu'ils sont dus... »

Inès rougit en baissant les yeux ; un seul regard eût dans cet instant éclairé dom Pèdre et
dévoilé tous ses secrets.

Le prince remit à Inès la clé du coffre d'ébène,
en lui disant :

« Cette clé renfermait vos secrets, et maintenant elle renferme le mien. »

À ces mots, il s'éloigna d'elle avec précipitation. Il partit le lendemain matin à la pointe du jour. Aussitôt qu'Inès fut réveillée, elle se rendit dans cet appartement, qui était le sien, et que dom Pèdre venait de quitter. Avec quelle émotion elle se retrouva dans ce logement qu'il avait habité ! avec quel trouble elle s'approcha du coffre d'ébène et l'ouvrit !... Un papier frappe sa vue ; elle le saisit d'une main tremblante ; elle le déploie, et lit ce qui suit :

« Je pars... N'oubliez pas celui qui ne veut plus vivre que pour vous et dans votre souvenir... celui qui va vous attendre avec toute l'agitation d'une impatience dévorante... Vous n'avez pas seulement ranimé mon existence, vous me l'avez donnée. Avant de vous avoir vue, je n'éprouvais qu'une inquiétude turbulente ; je ne concevais ni le but de la vie, ni l'espérance du bonheur... Oh ! comment alors, n'attachant de prix à rien, n'aimant rien, mon cœur a-t-il pu battre avec violence ! comment mon sang pouvait-il s'allumer et bouillonner dans mes veines !... Je vous attendais : cette âme brûlante ne pouvait supporter l'accablante insipidité de l'indifférence ; elle plaçait son inutile énergie dans des emportements qui allaient souvent jusqu'à la férocité ; et maintenant cette énergie se portera tout entière vers un seul objet... vous la dirigerez, vous la purifierez... Je me console de n'avoir rien fait de bien avant de vous connaître, afin de ne devoir qu'à vous tout ce qui peut ennoblir et illustrer la vie. Venez, venez promptement. Sans la certitude de vous revoir bientôt, comment pourrais-je vous dire adieu !...

Dom Pèdre, prince de Portugal. »

Inès relut mille fois cette lettre, elle la baigna de larmes, elle la cacha dans son sein, et, la pressant contre son cœur : Elle restera là, dit-elle, jusqu'à mon dernier soupir...

Inès se trouvait dans un état inexprimable d'irrésolutions douloureuses, d'inquiétudes déchirantes, et cependant une joie insensée concentrée au fond de son âme y dominait sur tout autre sentiment ; elle n'avait rien encore à se reprocher ; elle aimait, elle était aimée... Elle se livrait à toutes les illusions dont la trompeuse espérance entoure une passion naissante qu'un devoir absolu ne condamne pas ; une partie des plus séduisantes chimères formées par son imagination était déjà réalisée. Dom Pèdre l'adorait, et voulait suivre ses conseils ; mais elle avait juré de lui cacher ses sentiments, et de n'être jamais que son amie, puisqu'un lien sacré ne pouvait les unir ; et elle tressaillait, en songeant que cet important secret était entre ses mains... Dans l'égarement de ses rêveries, lorsque sur les récits d'Alonzo son imagination s'enflammait pour dom Pèdre, elle avait eu l'imprudente folie d'écrire ses pensées et d'exalter ses sentiments en les décrivant, et mille fois le nom de dom Pèdre se trouvait tracé dans ces écrits...

La violence de dom Pèdre l'avait forcée de lui remettre ces dangereux papiers, et, dans le premier moment de son embarras, elle s'était promis en secret de n'aller à Lisbonne que pour s'y mettre dans un couvent, pour y prendre le voile, et y prononcer des vœux irrévocables à la fin de l'année, afin que le prince, qui ne pouvait ouvrir le fatal paquet qu'au bout de quinze mois, ne connût ses sentiments que lorsqu'elle serait pour jamais à l'abri de toutes ses entreprises. Mais, quand elle avait de premier mouvement formé ce courageux dessein, elle ignorait encore qu'elle fût passionnément aimée. Sa conversation avec dom Pèdre avait bouleversé ou du moins ébranlé toutes ses résolutions ; et que de raisons ne trouvait-elle pas pour renoncer à ce projet ! Souffrirait-il sa retraite dans un monastère ? Si elle s'échappait furtivement, quelle serait sa fureur !... Ne viendrait-il pas l'arracher de son couvent alors même qu'elle aurait fait ses vœux ? Comment se soustraire aux emportements d'un caractère si violent, animé par une grande passion réduite au désespoir ? D'un autre côté, comment rester à la cour sans se perdre ? Quel droit n'aurait-il pas sur elle, lorsqu'il découvrirait qu'elle l'avait aimé avant même de l'avoir vu ? Comment se conduire dans une situation si périlleuse ? Et de qui pouvait-elle espérer un conseil salutaire ? Amalia n'avait pas assez d'esprit pour la guider ; Alonzo avait trop d'amour pour ne lui être pas suspect : elle ne pouvait prendre pour confident le rival de dom Pèdre...

« Hélas ! s'écriait-elle, si Mélinda vivait, je me jetterais dans son sein, je lui confierais mes mortelles anxiétés, et je trouverais mon salut dans sa tendresse, son expérience, et surtout dans son autorité. Oh ! combien je sens le malheur de l'indépendance à mon âge ! Le meilleur conseil, je ne le suivrais pas peut-être, mais j'obéirais à un ordre sacré. »

Dans d'autres moments, Inès ne pensait qu'au bonheur, à la gloire de donner un frein à l'impétuosité de dom Pèdre, de faire servir l'amour à le rendre bienfaisant, équitable, généreux dans toutes ses actions, enfin au charme délicieux de le voir devenir l'idole de la nation qu'il devait gouverner un jour.

Ces diverses pensées l'occupèrent uniquement jusqu'au retour d'Alonzo. Distraite et rêveuse, Amalia l'importunait. Son trouble et sa préoccupation étaient si visibles, qu'Amalia en devina le sujet. Cette dernière s'était enfin aperçue de la passion du prince. Pour le repos de sa conscience, elle se promit de ne point favoriser ces amours ; en même temps elle désira vivement en obtenir la confidence, et elle se décida sans balancer à cacher avec soin tout ce mystère au sévère Alonzo.

Enfin, après trois semaines d'absence, Alonzo arriva. Il se rendit sur-le-champ à l'appartement d'Inès, qu'il trouva seule. Il lui annonça tristement que la place qu'elle désirait lui était accordée. Inès le remercia avec une sorte de confusion ; sa vue l'embarrassait ; l'estime qu'elle ne pouvait lui refuser devenait pour elle un sentiment pénible qui ressemblait au remords. Alonzo, prenant son trouble pour de l'attendrissement, reprit la parole pour lui représenter le danger de se jeter sans mentor et sans guide dans un monde inconnu, plein de pièges et d'illusions.

« Il en est temps encore, ajouta-t-il ; rappelez-vous les derniers vœux de votre grand-mère ; pour les réaliser, je ferai tous les sacrifices que vous désirerez : vous voulez vivre dans le monde, j'abandonnerai cette solitude ; j'irai m'établir avec

vous à Lisbonne. Daignez accepter une sauvegarde ; un époux seul pourra l'être. »

Inès écouta ce discours avec une froideur si
glaciale, qu'Alonzo, perdant toute espérance, se
leva en disant :

« Je le vois, votre parti est pris sans retour. Je
ne puis m'y opposer avec autorité, puisque, dans
l'opinion générale, le sort que vous préférez est
universellement envié ; j'ai agi avec la droiture
que j'aurai toujours; j'ai sollicité de bonne foi : il
est vrai que j'attendais de votre part un généreux
retour à la raison, à l'amitié, surtout quand je
vous offrais de vivre dans le monde pour y veiller
sur vous... Je me suis trompé. Puissiez-vous ne
jamais vous repentir. Quand voulez-vous partir ?

— Demain, s'il est possible.

— Demain !... Il suffit... Nous partirons avec le
jour. »

À ces mots, Alonzo, la mort dans le cœur,
quitta brusquement Inès. De nouveaux chagrins
l'attendaient. Il était revenu avec une extrême rapidité nuit et jour, et sans s'arrêter. Il ignorait
entièrement que le prince de Portugal eût passé
trois jours dans son château ; et, lorsque ses gens
le lui apprirent, cet événement acheva de l'accabler. Il ne douta point que la beauté d'Inès n'eût
fait une profonde impression sur ce prince. Le silence d'Inès sur cette aventure, l'empressement

qu'elle montrait de partir sans délai pour Lisbonne, sa froideur, son embarras, le refus positif
de s'engager, tout prouvait au malheureux Alonzo
que la passion qu'il supposait à dom Pèdre était
partagée. Il questionna Amalia, qui se garda bien
de lui confier les secrets qu'elle avait pénétrés ;
elle se contenta de lui faire l'éloge de l'affabilité
du prince, de ses bontés pour elle, et de la manière dont elle avait fait les honneurs du château.

Le lendemain matin on partit pour Lisbonne.
Alonzo, durant la route, acquit l'entière certitude
de son malheur. Inès, qui ne trouvait dans ses
regards que des reproches et la plus sombre tristesse, les évitait avec soin ; elle était silencieuse et
distraite. Amalia faisait seule les frais de la
conversation : elle désolait Alonzo, en le forçant
d'y prendre part ; car, lorsqu'on est vivement
préoccupé, la plus pénible de toutes les bienséances est celle qui oblige à soutenir un entretien
insipide, et à répondre à des lieux communs. Ar-
rivés à Lisbonne, Alonzo déposa Inès chez une
des parentes de son père. Il fut convenu qu'elle y
resterait jusqu'à son installation à la cour ; et, ce
jour même, Alonzo lui dit :

« Je sais que vous ne désirez point mes conseils,
et que vous ne les suivrez pas ; mais mon devoir
est de vous en donner et de veiller sur vous. Je
reste à Lisbonne, afin de vous faire entendre de

temps en temps le langage de la raison et de la vérité. »

Au bout de huit jours, Inès fut présentée à la cour, et presque aussitôt elle y fut établie. Sa rare beauté fit un bruit prodigieux. Dom Pèdre crut l'admirer pour la première fois, en la voyant ornée d'une éclatante parure. Cependant les conseils de Garcias, et surtout l'intérêt de son amour, l'engagèrent à cacher sa passion.

Inès, la plus belle personne du Portugal, était une riche héritière ; elle avait une grande naissance, et, dès le premier moment de son apparition à la cour, elle devint l'objet d'une multitude de vœux secrets. Dans le nombre de ses adorateurs se trouva Pachéco, Premier ministre, et favori du Roi. Né sans fortune, sans naissance, mais sous le règne d'un roi qui savait apprécier les grands talents, il ne devait son élévation qu'à une habileté supérieure dans les affaires. Parvenu par le mérite et d'importants services, il est facile de persuader qu'on l'est aussi par la vertu. Pachéco jouissait d'une honorable et brillante réputation, parce que jusqu'alors les passions violentes concentrées dans son âme, loin d'avoir pu lui demander des crimes, n'avaient dû au contraire exiger de lui que de l'intégrité dans sa conduite et des travaux glorieux, seuls moyens d'obtenir la confiance et la faveur du Roi. Ainsi la probité, la loyauté du monarque forçaient depuis dix ans un scélérat à prendre toutes les apparences d'un honnête homme. Quoique Pachéco eût un orgueil excessif, il avait trop d'esprit pour montrer de l'insolence ; il savait que, toujours haïssable et ridicule, elle n'est jamais utile, même avec les sots qu'elle intimide, ou qui la prennent pour un des privilèges de la grandeur ; exact observateur de toutes les bienséances sociales, il regardait le scandale comme une absurdité nuisible ; il ne méprisait du vice que l'imprudence sans but et sans profit. Il était également capable d'audace et de circonspection, suivant ses passions et ses intérêts ; il ne voyait dans l'exécution d'un crime qu'une action à combiner comme toute autre ; mais néanmoins, jugeant que les suites en sont toujours dangereuses, il pensait qu'on ne doit employer de tels moyens que pour satisfaire une passion violente, ou pour l'accomplissement d'un grand dessein : enfin, sous un extérieur noble, imposant et sévère, il cachait l'âme la plus noire et la plus vindicative, une âme avilie et dénaturée par une longue habitude d'impiétés et d'hypocrisie ; son amour n'était qu'une fureur brutale, son amitié qu'un calcul et une fausseté, sa haine une rage implacable, qui ne pouvait produire que des vengeances atroces. Tel était l'homme qui, au seul aspect d'Inès, devint éperdument amoureux

d'elle. Il avait quarante ans, mais une belle figure, de grands succès encore auprès des femmes,
une fortune immense, un crédit sans bornes, les
premiers emplois de l'État. Il pensa qu'Inès n'hé-
siterait pas à lui donner la préférence sur tous ses
rivaux, et que d'ailleurs elle serait flattée de sub-
juguer un homme d'une si haute réputation, qui
n'avait jamais voulu se marier, et qui avait refusé
tant d'alliances illustres. Comme tous les ambi-
tieux, il imagina que le moyen le plus sûr de lui
plaire était de se montrer à elle dans toute sa
splendeur : il l'invita à des fêtes magnifiques, que
le Roi, la Reine et dom Pèdre honorèrent de leur
présence ; et, au bout d'un mois, sachant qu'A-
lonzo était le tuteur d'Inès, il alla le trouver et lui
demander la main de sa pupille. Alonzo répondit
qu'il laissait Inès maîtresse de sa destinée, et qu'il
lui parlerait. En effet, il lui fit part des prétentions de Pachéco, et il ajouta que ce mariage serait le plus avantageux qu'elle pût faire.

« Si je voulais me marier, répondit Inès, c'est
vous, Alonzo, que je choisirais pour époux. Faites
en mon nom un refus positif, absolu...

– Je ne veux point, reprit Alonzo, vous arracher l'aveu de vos sentiments ; je me plais à
conserver l'espérance que vous me les confierez
un jour... Ô ma chère Inès, j'ai renoncé sans retour à cette chimère de bonheur qui séduisit un

moment ma raison ; mais je ne puis renoncer à votre repos, à votre réputation...

— Ma réputation ! Qu'ai-je donc fait qui puisse la compromettre ?...

— Rien encore ; mais vous nourrissez un sentiment qui vous perdra.

— Si vous connaissiez mes résolutions...

— Elles sont vertueuses, je n'en doute pas ; les conseils de l'expérience et de l'amitié ne pourraient que les affermir.

— Eh bien ! Alonzo, dans six semaines vous saurez tout, et vous verrez alors que je ne manque ni d'empire sur moi-même, ni de courage. »

Ces paroles attendrirent et charmèrent Alonzo. Ce fut la première consolation qu'il eût reçue depuis la mort de Mélinda. Il porta le même jour la réponse d'Inès à Pachéco. Celui-ci, profondément irrité, se flatta néanmoins qu'Alonzo, ayant d'autres vues, l'avait desservi auprès d'Inès, et que peut-être même il la faisait parler. Rempli de cette idée, il se rendit chez Inès, bien certain que nul domestique n'oserait l'empêcher d'entrer. Mais il fallut l'annoncer ; et, aussitôt qu'Inès entendit prononcer son nom, elle se leva précipitamment, et courut se réfugier dans un cabinet, d'où elle lui fit dire qu'elle ne recevait que ses parents et son tuteur. Pachéco ne se rebuta point ; il demanda une écritoire, et il lui écrivit un billet pour la conjurer de l'entendre un moment, ou de répondre de sa main à la proposition qu'il avait chargé son tuteur de lui faire. Inès, voulant se débarrasser sans retour d'une poursuite importune, répondit sur-le-champ avec une décision, un laconisme, une sécheresse qui parurent à l'orgueilleux Pachéco le comble du dédain et de l'outrage. Il sortit avec la rage dans le cœur, et en se promettant de méditer à loisir une horrible vengeance.

Inès, mille fois plus tourmentée et plus à plaindre que jamais, était enfin décidée à se sacrifier au plus rigoureux devoir. Dom Pèdre lui écrivait tous les jours. Amalia, placée à la cour par ses soins, était devenue sa confidente, et se chargeait de remettre ses lettres. Amalia, en recevant ce dangereux secret, n'avait pas mis en doute la « pureté des sentiments » de dom Pèdre, puisqu'il l'assurait qu'il ne prétendait qu'à la confiance et à l'amitié d'Inès. Amalia justifiait à ses propres yeux une complaisance à la fois basse et criminelle, en se répétant qu'il n'était pas permis de se défier des intentions d'un prince loyal, généreux, et destiné à monter sur le trône.

Les lettres du prince n'étaient qu'une répétition de tout ce qu'il avait déjà dit à Inès ; mais il montrait de l'espérance et une passion dont chaque instant semblait accroître la violence. Inès avait la faiblesse de lui répondre ; et, quoiqu'elle l'exhortât à triompher d'un sentiment qu'elle ne pouvait partager (disait-elle), il y avait toujours dans ces réponses quelques-uns de ces mots qui échappent du cœur, et qu'on n'a jamais la force d'effacer. Inès, rassurant par un dessein courageux sa conscience alarmée, se livrait avec moins de remords au plus dangereux penchant. Elle voyait chaque jour dom Pèdre, heureux et brillant d'espérance, au milieu d'une cour somptueuse, attacher et fixer sur lui tous les regards ; elle jouissait avec délice de l'éclat dont il était environné. Il y a dans la grandeur et dans la pompe d'un rang élevé une noblesse extérieure et une élégance auxquelles il est rare qu'une femme, même sans ambition, puisse être absolument insensible. Les hommages personnels peuvent être reçus avec indifférence ; mais, s'ils s'adressent à l'objet qu'on aime, il est impossible d'en être le témoin sans enthousiasme. Les sentiments les plus profonds ne sont pas inspirés par l'amour ; mais les émotions les plus vives sont produites par la réunion de l'amour et de la vanité. Inès, enivrée de toutes les illusions de l'amour, ne put néanmoins se dissimuler que dom Pèdre prenait sur elle un suprême ascendant. Il est vrai qu'il lui obéissait, en se conduisant avec prudence, en ne la suivant point, en ne lui parlant point dans les fêtes où il la rencontrait, et en ne faisant aucune tentative pour la voir chez elle ; mais il ne lui cachait pas dans ses lettres que cette contrainte insupportable ne pouvait durer, qu'il fallait qu'elle y mît un terme. Inès sentait qu'entraînée vers lui par l'amour, et dominée par la crainte que lui inspirait son caractère, il disposerait souverainement de sa destinée, si elle hésitait à prendre un parti courageux et décisif. L'idée qu'il serait forcé d'admirer le sacrifice vertueux qu'elle méditait acheva de la décider. Elle se détermina donc à fuir dans une province éloignée, et même dans un pays étranger, à s'y mettre dans un couvent, sous un nom supposé, et à s'y faire religieuse. Mais comment exécuter un tel dessein ? Elle ne voulait pas le confier à son tuteur, parce que, connaissant ses sentiments, elle était certaine qu'il ne la seconderait jamais dans le projet de s'ensevelir sans retour dans un cloître ; et, en renonçant à dom Pèdre, elle trouvait une sorte de consolation à renoncer à l'univers entier. Quoique Amalia lui témoignât la plus vive amitié, elle n'avait pour elle ni estime ni confiance. Enfin elle révéla son secret à une personne subalterne, mais dont elle avait reçu les plus grandes preuves d'attachement. C'était sa femme de chambre. Inès lui avait entendu dire que ses parents (un oncle et une tante), qui étaient des marchands, allaient incessamment partir pour la France. Inès imagina qu'ils pourraient l'emmener secrètement avec eux, et elle promit à sa femme de chambre de lui assurer un sort en partant. Cette femme fut à la fois effrayée et touchée d'un parti si violent. Après l'avoir vainement combattu, elle demanda trois jours, qui lui furent accordés, pour y réfléchir, et afin de penser aux moyens que l'on pourrait employer pour conduire cette affaire sans éclat.

Au bout des trois jours la femme de chambre dit que tout était arrangé ; que son oncle et sa tante, sans connaître le véritable nom d'Inès, qu'il fallait leur cacher, consentaient à se charger d'elle, parce que, pour mieux assurer le secret, elle l'avait fait recommander par un vénérable religieux qui possédait toute leur confiance, et qui partait aussi avec eux.

« Pour intéresser ce saint personnage, poursuivit la femme de chambre, je lui ai dit, madame, que ce départ préserverait une jeune orpheline de la plus dangereuse séduction.

– Hélas ! reprit Inès en soupirant, vous ne l'avez pas trompé !

– Et quand vous serez en France il vous placera dans un monastère, et vous y fera recevoir. Il faudra partir dans deux jours.

– Quoi ! si tôt ?... Mais je ne balance point ;

ma résolution est inébranlable. Cependant comment m'échapperai-je d'ici ?

– Tout est prévu. Madame demandera un congé de six jours pour aller à la campagne chez une de ses parentes absente. Nous partirons du palais dans une voiture de louage au point du jour ; nous nous rendrons dans l'église de Saint-Salvador ; nous y entrerons, et nous attendrons là le religieux qui doit vous présenter et vous guider.

– Et combien de temps l'attendrons-nous ?

– Une demi-heure tout au plus. C'est dans cette église que mes parents viendront vous chercher et que vous partirez avec eux et le vénérable religieux. »

Après cette explication, la triste Inès se retira dans son cabinet pour y pleurer sans contrainte. Elle écrivit deux lettres, l'une à Alonzo, où, sans lui confier le secret de son cœur et le lieu de sa retraite, elle lui disait un éternel adieu, en lui déclarant qu'elle allait se consacrer à Dieu. Elle lui recommandait ses femmes et ses domestiques ; du reste elle le priait de disposer à son gré de sa fortune, en ajoutant qu'elle s'en rapportait à sa justice et à sa sagesse. La seconde lettre, adressée à dom Pèdre, était conçue en ces termes :

« Hélas ! vous pouvez lire maintenant ces papiers que je vous ai confiés !... Vous y verrez que, même avant de vous connaître, je cédais au charme inconcevable du plus doux pressentiment, mon imagination et mon cœur s'élançaient vers vous !... Et depuis je vous ai vu !... Je vous ai entendu dépeindre cet amour si tendre, si généreux, dont j'étais l'objet !... Mon âme tout entière répondait à la vôtre ; vous exprimiez tout ce que j'éprouvais !... J'ai calculé les dangers d'une telle passion sur sa violence, et j'ai senti qu'elle devait nous perdre ; un nœud sacré ne pouvait nous unir, et jamais la faiblesse et l'égarement d'Inès n'auraient pu vous rendre heureux !... En renonçant à vous, je n'ai pu concevoir l'espoir ou l'idée d'une seule consolation humaine ; je renonce à ma famille, à ma patrie, au monde, à l'univers entier... Ce visage que vous aimiez à regarder sera jusqu'au tombeau couvert d'un voile épais... Je ne vous parlerai plus, et je me voue à un éternel silence !... Ah ! soyez toujours assez magnanime, faites toujours d'assez nobles exploits pour que votre renommée, franchissant les monts affreux qui vont nous séparer, puisse parvenir jusqu'à l'asile obscur où je cours m'ensevelir ! Ce n'est désormais que par vos vertus et la gloire que vous pourrez correspondre encore avec Inès !... Et, quand j'entendrai parler de vos grandes actions, je me dirai : Il ne m'a point oubliée !... Nous ne nous verrons plus ; mais quels délicieux souvenirs nous restent ! Songez combien notre amour fut innocent et pur ! Le vôtre ne demandait que l'estime et la confiance ; le mien fut toujours caché !... Adieu ; je sens à la fois votre douleur et la mienne !... Mais ce moment terrible n'est pas sans douceur pour moi ; je puis sans déguisement et sans crainte vous dire enfin, pour la première fois, que je vous aime uniquement ; le temps et l'absence ne sauraient affaiblir un sentiment si tendre et si passionné ! Nulle vanité mondaine, nulle autre affection humaine ne pourront m'en distraire. Oh ! que j'aimerai cette profonde solitude où je serai livrée tout entière à un seul souvenir, à une seule pensée ! Que le dédain du monde et l'humilité me coûteront peu ! Quels amusements, que vous ne partageriez pas, pourraient me plaire ? Quelles louanges, que vous n'entendriez, pourraient me flatter ? C'est au fond de votre grande âme que j'ai placé tout mon orgueil... Adieu ; ne gémissez point sur mon sort. Il est vrai, mon sacrifice est immense ; mais vous l'admirerez ; ne me plaignez donc pas : certaine d'être approuvée de vous, j'emporte avec moi la plus touchante et la plus noble récompense. »

Inès était convenue avec sa confidente de lui donner la lettre d'Alonzo et celle de dom Pèdre, à laquelle son cœur attachait une si grande importance. La veille de son départ, la femme de chambre lui avait représenté que peut-être après sa fuite elle serait arrêtée pour être interrogée, que l'on saisirait tous ses papiers, et que, pour ne pas risquer ces deux lettres, il fallait les déposer chez le notaire d'Inès ; elle se chargea de les lui porter enfermées dans une enveloppe à sa propre adresse, et elle promit à Inès de ne remettre ces lettres que six jours après sa fuite.

Ayant ainsi terminé tout ce qu'elle devait faire, Inès ne sentit plus que sa douleur, et elle en fut accablée. Lorsqu'elle eut donné ses lettres, elle trouva que celle qu'elle avait écrite au prince n'était ni assez tendre ni assez détaillée. Elle se représenta son désespoir, elle s'accusa d'ingratitude et de barbarie ; elle versa des torrents de larmes ; son courage l'abandonna ; et néanmoins elle persista dans sa résolution. La veille du jour où elle devait l'exécuter, la reine donna un grand bal ; Inès aurait pu se dispenser de s'y trouver ; mais, malgré l'état où elle était, elle voulut y aller, afin de voir dom Pèdre encore une fois. Ce qu'elle souffrit à cette fête surpassa tout ce qu'elle avait pu imaginer... Combien lui parut insensée la gaieté de cette brillante assemblée ! Combien elle fut douloureusement affectée par les sons d'une musique vive et bruyante ! Lorsqu'on vint la prier à danser, elle frissonna, et fut aussi étonnée que si l'on eût dû lire au fond de son âme. Elle s'excusa en se plaignant d'un violent mal de tête ; elle était si abattue qu'on le crut facilement. Mais sa langueur et sa souffrance, loin de nuire à sa beauté, la rendaient mille fois plus touchante. Il y avait à cette fête beaucoup d'étrangers qui, ayant entendu parler d'elle, et ne l'ayant jamais vue, formèrent un cercle autour d'elle, et ne purent s'empêcher d'exprimer leur admiration. Ces hommages lui firent éprouver le sentiment le plus pénible, en pensant aux grilles derrière lesquelles cette beauté allait se cacher et se flétrir dans l'oubli.

Le prince n'arriva qu'à minuit. Inès, en le voyant entrer dans la salle, fut prête à s'évanouir ; et, de ce moment, elle eut toujours les larmes aux yeux. Jamais il ne lui avait paru si affable, si brillant, et si aimable... Leurs regards, qui se cherchaient, se rencontrèrent, et la malheureuse Inès sentit son cœur se déchirer. Ne pouvant plus se soutenir, elle fut obligée de s'appuyer sur le bras d'Amalia placée à côté d'elle... Au bout d'une demi-heure, dom Pèdre, pour la première fois en public, s'approcha d'elle ; il lui parla avec une grâce et un air de sécurité qui attendrirent tellement Inès, que, pour ne pas se trahir par un déluge de pleurs, elle prit le parti de ne répondre qu'en s'inclinant, et au même instant elle dit tout bas à Amalia qu'elle sentait qu'elle allait se trouver mal ; aussitôt Amalia sor-

tit avec elle, ce qui ne surprit personne, car on
l'avait vue arriver au bal excessivement souf-
frante. A la porte de la salle, Inès se retourna
pour tâcher d'apercevoir encore pour la dernière
fois celui qu'elle quittait pour toujours !... Mais
elle le chercha vainement des yeux. En passant la
porte fatale, elle crut sortir de la vie. Elle laissait
derrière elle toute la pompe, tout l'enchantement,
tous les prestiges qui avaient séduit son imagination et touché son cœur. Innocente et vertueuse,
mais privée du bonheur d'avoir été déterminée
par la religion, elle n'était soutenue que par des
motifs humains, et elle éprouvait toute la faiblesse de ces fragiles appuis : sans force et sans
consolation, elle succombait à l'amertume de ses
regrets et à l'horreur de la perspective que le
sombre avenir lui présentait...

Le courage religieux est invincible, parce
qu'il a un but, devant lequel tous les autres intérêts s'anéantissent. La pieuse résignation est
un accord sublime fait avec la divinité, qui daigne, à ce prix, tout promettre à sa créature ;
avec cette angélique vertu on n'est jamais le
jouet des événements ou la victime du malheur ; la patience humaine n'est qu'une souffrance immobile et muette ; la résignation est
un repos céleste, elle attend une récompense
sans mesure...

Inès, en s'éloignant sans retour de l'objet qu'elle adorait, avait à peine la force de marcher ; elle chancelait à chaque pas ; l'univers venait de disparaître à ses yeux ; il lui semblait qu'elle tombait et s'enfonçait dans le néant... Elle logeait dans le palais ; et, lorsqu'elle entra dans son appartement, elle assura Amalia qu'elle ne souffrait plus, et elle se hâta de la congédier. Le prince envoya savoir de ses nouvelles, quoiqu'il dût être rassuré par Amalia, qui était retournée au bal. Ce message accrut encore les douloureuses émotions d'Inès. « Hélas ! se dit-elle, quel sera demain son réveil !... » Dans ce moment, elle entendit en tressaillant l'horloge du palais sonner deux heures après minuit ; elle devait s'échapper à six... Lorsqu'elle quitta sa parure et qu'on lui ôta les fleurs et les diamants dont sa tête était couronnée, il lui sembla qu'on la dépouillait de tous ses charmes, de cette beauté qui ne devait plus être ornée, qui ne devait plus briller, et que dom Pèdre ne contemplerait plus... Elle se revêtit d'une robe noire, elle posa sur sa tête un long voile, ensuite elle renvoya sa femme de chambre, en lui ordonnant de venir la chercher à l'heure convenue. Alors elle tomba dans un fauteuil, et elle y resta morne, tremblante et glacée, jusqu'au moment où sa confidente entrouvrit doucement la porte pour l'avertir que tout était prêt.

« Eh quoi ! dit Inès en tressaillant, le jour paraît déjà ?

– Oui, madame ; mais il est sombre... »

A ces mots, Inès se lève, elle ouvre une fenêtre, et frémit en voyant un ciel rougeâtre, chargé de nuages noirs. « Quel jour affreux ! » dit-elle , et ses pleurs inondèrent son visage... Elle s'enveloppe dans son voile, et suit sa femme de chambre, qui la guide. Elle monte en voiture. L'infortunée, à travers un nuage de larmes, se tourne vers le palais, et lui dit un éternel adieu, en s'écriant : « Hélas !... c'est donc pour jamais, et j'ai pu le vouloir !... » Ses sanglots lui coupèrent la parole... La voiture était partie avec rapidité ; elle traverse cinq ou six rues, et s'arrête enfin devant le portail de l'église de Saint-Salvador. On descend, un homme attendait à une petite porte, qu'il ouvre aussitôt. On entre dans une église obscure et vaste. « C'est ici qu'il faut attendre », lui dit sa compagne. Inès fait encore quelques pas pour aller se mettre à genoux sur les marches d'un autel, et là elle prie Dieu de rétablir la paix dans son âme bouleversée. Mais une voix intérieure, une voix terrible lui répond : « Il fallait prier avant de te livrer tout entière à la passion la plus insensée ; il fallait obéir aux derniers ordres de ta grand-mère expirante ; ta présomption et ta folie t'ont précipitée dans un abîme ; tu as fait toi-même ta destinée ; elle sera funeste... » Au milieu de ces pensée désespérantes, elle entend marcher derrière elle ; c'était sa femme de chambre, qui l'invite à la suivre dans la sacristie où elle est attendue. Inès se lève, et se laisse conduire. Elle entre dans la sacristie, dont aussitôt la porte se referme et la sépare de sa femme de chambre ; elle se trouve seule avec effroi. Dans ce moment on accourt précipitamment vers elle ; le seul bruit de cette marche impétueuse fait palpiter son cœur... Elle le reconnaît ; elle ne se trompe point... Dom Pèdre est à ses pieds... Dans ce moment Inès n'éprouva qu'un transport inexprimable de surprise et de joie ; ses craintes, ses projets, ses résolutions, tout fut oublié. Elle entrevit à l'instant qu'elle ne serait plus maîtresse de ses actions, que désormais l'amour en disposerait souverainement ; cette idée comblait tous les désirs, tous les vœux imprudents de son cœur...

« Je suis aimé ! s'écria dom Pèdre. Vous êtes à moi ; je sais tout ; j'ai lu votre lettre et tous vos papiers. Ô sensible et chère Inès, vous allez connaître mon amour et ma reconnaissance ! Un nœud solennel et sacré va nous unir pour jamais...

– Ô ciel ! à quoi vous exposez-vous ? Votre père, la nation...

– L'autel est paré, le flambeau nuptial est allumé... le prêtre et les témoins nous attendent...

– Grand Dieu !...

– Venez... Soyons l'un à l'autre ; tout le reste
n'est rien. L'excès du bonheur nous donnera
l'heureuse puissance de braver tous les autres
événements de la vie ; et, s'il fallait périr demain,
qu'importe ! nous aurions vécu... Quelle longue
carrière peut valoir ce beau jour ?... Ne différons
plus, venez... »

En prononçant ces paroles, dom Pèdre entraîne
Inès ; il la conduit dans une chapelle ornée de
fleurs et magnifiquement illuminée. Le prêtre
était déjà sur les marches de l'autel ; deux amis
du prince, Alvarès, parent d'Inès, et Garcias, se
tenaient debout à côté des prie-Dieu sur lesquels
devaient se placer les deux époux. Derrière le
prie-Dieu d'Inès se trouvait Amalia en habit de
cour. Le prince et les témoins étaient superbe-
ment vêtus ; l'autel et les habits sacerdotaux du
prêtre étincelaient d'or et de pierreries. Le prince
avait voulu, par cette magnificence, ôter, autant
qu'il était possible, à cette cérémonie l'humble et
triste apparence d'un mariage secret et clandestin. Inès, baignée de pleurs, prononça du fond de
l'âme les paroles irrévocables et sacrées. Le
prince fit avec enthousiasme les mêmes serments.
Ensuite Amalia se couvrit d'une pelisse noire ;
dom Pèdre s'enveloppa dans un long manteau, et
l'on se hâta de sortir de l'église. Dom Pèdre

monta, avec Inès et Amalia, dans une voiture dont tous les panneaux étaient fermés, et qui devait les conduire à trois lieues de Lisbonne, dans une petite maison isolée dans les champs, appartenant à Amalia.

Dom Pèdre, après avoir exprimé à Inès l'excès de sa joie et de son bonheur, lui dévoila tous les mystères de cette intrigue si bien conduite. Sa femme de chambre, effrayée du projet de sa fuite, avait, sous le sceau du plus grand secret, consulté Amalia, qui aussitôt en instruisit le prince. On se décida vaguement à tromper Inès, afin de l'empêcher de partir. Quand elle confia ses deux lettres, au lieu de les porter chez un notaire, on les remit au prince, qui lut la sienne avec toute l'ivresse d'une joie sans bornes, qui néanmoins devait augmenter encore par la lecture des papiers qu'Inès avait été forcée de lui remettre dans le château. Alors dom Pèdre imagina la fable dont l'inexpérience et la crédulité d'Inès avaient si bien assuré le succès. Quant à la lettre adressée à Alonzo, le prince l'avait brûlée sans la lire. Il ajouta qu'il était parfaitement sûr de la discrétion du prêtre, et des deux témoins Alvarès et Garcias ; que leur sûreté même répondait de leur fidélité à cet égard. Dom Pèdre apprit à Inès qu'elle allait s'arrêter un moment dans la maison d'Amalia, qui était sur la route de celle où elle avait dit publiquement qu'elle irait ; qu'en effet elle s'y rendrait ce jour même ; mais qu'au lieu d'y passer huit jours, elle reviendrait le surlendemain au palais à Lisbonne. A peu de distance de la maison d'Amalia, on trouva Alvarès et Garcias, qui avaient pris les devants à cheval. Le prince se sépara d'Inès ; Alvarès lui céda son cheval, et prit sa place dans la voiture. Dom Pèdre et Garcias retournèrent à Lisbonne par un autre chemin ; et Inès, Alvarès et Amalia s'arrêtèrent une heure dans la maison de cette dernière. Inès y retrouva sa femme de chambre. Elle quitta sa robe noire, en disant à Amalia qu'elle s'affligeait de l'avoir portée dans le plus beau moment de sa vie.

« Hélas ! ajouta-t-elle, fasse le ciel que ce lugubre vêtement de deuil ne soit pas un triste présage !... »

Amalia lui parla de dom Pèdre, de son amour, de sa félicité ; et toute idée mélancolique fut bientôt effacée de son imagination. Que les heures lui parurent longues dans ce château, où elle passa deux mortelles journées !... Enfin elle se retrouva à Lisbonne : elle rentra avec transport dans ce palais qu'habitait un époux adoré ; et, pour que rien ne manquât à son bonheur, elle apprit de dom Pèdre que personne au monde n'avait le moindre soupçon non seulement de leur union, mais de leur intelligence. Les conseils de Garcias dirigèrent leur conduite, et les mesures pour se voir furent prises avec prudence...

Mais la haine irréconciliable et l'inhumaine jalousie veillaient sur Inès ; épiaient tous ses mouvements, toutes ses démarches. Pachéco était certain qu'Inès avait un penchant secret, puisqu'elle avait refusé sans hésiter l'offre de son cœur et de sa main ; il surprit des soupirs, des regards, et il découvrit qu'Inès et le prince s'aimaient éperdument, et qu'Amalia était leur confidente. Dom Pèdre regardait Pachéco comme un grand homme d'État ; il n'avait rien vu de répréhensible dans sa conduite ; mais, par une sorte d'instinct qui trompe rarement les grandes âmes, il avait pour lui un éloignement naturel, que plus d'une fois il avait laissé voir malgré lui. Pachéco, qui n'avait que trop remarqué cette antipathie secrète, le haïssait mortellement, persuadé d'ailleurs qu'à la mort du Roi, Garcias et Alvarès seraient revêtus des premiers emplois. Il avait essayé avec beaucoup de précautions et d'artifices, mais sans fruit, tous les moyens de le perdre dans l'esprit du Roi ; tantôt il le louait sur sa valeur, sa popularité, avec l'intention secrète de le faire craindre. Le Roi n'éprouvait alors que la joie de voir aimé du peuple et de la nation un fils qu'il chérissait. Tantôt Pachéco gémissait sur la violence du caractère de ce prince, et le Roi s'en affligeait sincèrement en bon père, mais en conservant l'espoir que l'âge corrigerait des défauts rachetés par tant de grandes qualités. Pachéco ne se rebutait jamais ; il se flatta de tirer un meilleur parti de la passion du prince, et il commença par charger une femme qui lui était dévouée d'éclairer la Reine sur l'amour mutuel de dom Pèdre et d'Inès ; car il était loin d'imaginer qu'ils fussent unis par un mariage secret. La Reine en parla au Roi en présence de Pachéco ; et le Roi répondit que rien n'étant prouvé à cet égard il fallait ne faire aucun éclat.

« D'ailleurs, ajouta le Roi, tout le monde est frappé depuis quelque temps d'un changement heureux dans le caractère de mon fils. Si cette jeune Inès a de l'empire sur son esprit, elle fait un excellent usage de cet ascendant. Puisque cette liaison n'a rien de scandaleux, pourquoi la supposer criminelle ? N'irritons point mon fils par une imprudente sévérité : on le conseille bien, voilà l'essentiel. »

Pachéco, dissimulant son dépit secret, appuya cet avis du Roi, loua son indulgence paternelle, sa sagesse ; et la Reine, qui s'intéressait à Inès, promit avec plaisir de ne lui rien dire et de la garder auprès d'elle. Cette princesse, seconde épouse du Roi, sœur du roi de Castille, et belle-mère de

115

dom Pèdre, avait cette douceur, cette bonté constante que donne toujours une véritable piété. Ces vertus angéliques sont les attributs naturels de toutes les femmes, et la véritable gloire d'une reine qui semble placée sur le trône, non pour juger et gouverner, mais pour concilier, adoucir, pour obtenir l'indulgence et le pardon. La Reine aimait dom Pèdre et en était révérée, et la manière dont elle traitait Inès augmentait encore son attachement pour elle.

Cependant Pachéco divulgua sourdement le secret des amours du prince, et bientôt toute la cour en fut informée.

On est toujours d'une extrême indulgence pour les faiblesses des gens médiocres ; mais on est sans pitié pour les personnes qu'on envie. La beauté, les grâces, l'esprit d'Inès, les infidélités dont elle était l'objet, les hommages qu'elle dédaignait, avaient excité contre elle des haines envenimées dans le silence et la dissimulation. Tout à coup on l'accusa hautement d'être la maîtresse du prince ; les prudes, les coquettes, les fats, déçus, parurent être aussi scandalisés que si une intrigue d'amour eût été à la cour une chose inouïe. Au milieu d'un déchaînement presque universel, Inès n'eut pour elle que ces voix si pures, et toujours en si petit nombre, qui ne s'élèvent que pour défendre ou pour affaiblir les torts, mais qui

116

n'ont jamais dans le monde une grande autorité ; car, dans les sociétés nombreuses, ce sont, non les jugements de la méchanceté, mais ceux de la bonté qui paraissent suspects. On sait que la vertu est d'une invincible incrédulité sur le mal qui n'est pas prouvé, et que, lorsqu'elle n'en peut douter, elle le cache ou l'excuse. Avec un tel caractère on obtient l'estime, mais on est rarement écouté avec attention, et moins encore cité.

Inès, malgré tout l'enchantement d'un amour heureux et légitime, commença à sentir combien sa situation était délicate et dangereuse ; elle gémissait de la perte de sa réputation, et elle ne pouvait se justifier sans trahir un secret inviolable pour elle, puisqu'il était impossible de le révéler sans exposer dom Pèdre à toute la colère du Roi ; ce qui surtout l'accablait de douleur étaient les reproches et le profond chagrin d'Alonzo. Ne pouvant supporter son indignation, elle lui jura si solennellement qu'elle était innocente, qu'il n'en doutât pas. Alors Alonzo lui représenta qu'elle devait s'arracher d'une cour où sa réputation était déjà attaquée avec tant d'acharnement, et que, si elle hésitait, elle la perdrait sans retour. Inès lui répondit qu'elle sentait que la raison lui prescrivait de prendre ce parti, mais qu'elle était certaine de rester toujours pure, et qu'elle n'avait pas le courage de quitter la cour et ses amis.

« Ah ! reprit Alonzo, pour vous soustraire au péril que vous bravez avec tant d'imprudence je serai donc forcé d'user de violence...

— Comment ! vous seriez capable !...

— De tout pour sauver votre honneur...

— Que dites-vous ? ô ciel !...

— Oui, si vous ne cédez pas à mes prières, je vous arracherai malgré vous de cet odieux palais... je vous enlèverai...

— Grand Dieu !...

— Oui, j'en fais le serment...

— Arrêtez, Alonzo ; il n'est plus temps...

— Qu'entends-je !...

— Mon sort est fixé...

— Par un mariage secret ?...

— Vous l'avez deviné ; et ma vie dépend de votre discrétion... »

Après cet aveu, Inès, achevant d'ouvrir son cœur, conta toute son histoire au triste Alonzo. Lorsqu'elle eut fini ce récit, Alonzo prit la parole en soupirant.

« Qui peut mieux que moi, lui dit-il, comprendre les écarts de l'imagination, et y compatir ? Par quel bizarre caprice la nature a-t-elle pris plaisir à former entre nos esprits et nos âmes une si trompeuse sympathie ? Ô malheureuse Inès !

— Oui, sans doute, reprit Inès, je suis à plaindre... Je ne jette qu'en tremblant les yeux sur

l'avenir ; l'amour ne m'y promet que du bonheur
et de la gloire, mais j'y vois des orages effrayants.
Ô généreux Alonzo ! ne m'abandonnez pas. Soyez
mon ange tutélaire, guidez-moi dans la carrière
périlleuse où je me suis engagée ; je n'aurai plus
rien de caché pour vous...

– Hélas ! c'est m'accorder bien tard cette
confiance que mon dévouement méritait d'obtenir... N'importe, je suis à vous. Chère Inès, vous
ne m'avez pas fait une heureuse destinée ; mais si
la vôtre peut l'être, je ne m'en plaindrai pas. J'y
veillerai ; je vous avertirai de tout ce que l'on tra-
mera contre vous. Je sais déjà que vous devez
vous défier de Pachéco ; vous avez blessé son orgueil ; il vous hait ; j'aurai l'œil sur lui : sa politique et son habileté échoueront contre l'intérêt qui
me guide ; il ne me trompera pas. »

Cette assurance tranquillisa Inès. Elle fit bien
promettre à Alonzo qu'il ne parlerait point au
prince de ses soupçons sur Pachéco, car elle évitait d'irriter contre qui que ce fût ce caractère
bouillant et si peu capable de feindre ; et elle lui
cachait avec un soin extrême tous les sujets de
plaintes que lui donnaient un grand nombre de
personnes ; ce qui lui était d'autant plus facile
que toutes ces personnes se contraignaient en présence du prince et n'osaient alors la traiter avec
cette politesse exacte, sèche, offensante, qui n'est

119

autre chose que l'impertinence civilisée des cours et du grand monde.

La générosité et l'attachement d'Alonzo pénétrèrent Inès de reconnaissance. Mais bientôt un nouveau sujet d'inquiétude vint la troubler ; elle s'aperçut qu'elle portait dans son sein un gage de cet hymen qu'il était si important de cacher. Cet événement transporta de joie dom Pèdre ; cependant il sentit tout l'embarras de cette situation ; et, voyant les craintes mortelles d'Inès :

« Tout s'arrangera, lui dit-il. Ô chère Inès ! sortez de cet abattement, qui ressemble au repentir ; il m'afflige et me blesse. Un amour tel que le nôtre doit triompher de tout ; songez aux miracles qu'il a déjà faits. Si vous ne m'eussiez retenu mille fois, j'aurais déjà hautement déclaré cet hymen qui fait ma gloire ainsi que mon bonheur. Que je serais fier de braver pour vous d'odieux préjugés et les rigueurs d'une injuste autorité ! Mais vous ne le voulez pas, et je vous obéis. Vous avez dompté, changé mon caractère ; ou, pour mieux dire ; c'est votre âme qui anime la mienne. Je suis calme, parce que vous êtes bienfaisante. En lisant chaque jour dans ce cœur ingénu, dans ce cœur si pur et si sensible, puis-je ne pas adorer la vertu et la bonté ? Puis-je ne pas m'attendrir sur les souffrances des infortunés en voyant vos pleurs couler pour eux ! Ah ! vous n'avez pas besoin de me tracer mes devoirs ; je les remplirai tous avec transport pour vous ressembler et pour vous rendre heureuse. Dites-vous donc que, si je dois un jour monter sur le trône, le Portugal vous devra une félicité dont il n'aurait jamais joui sans vous. Que ces grandes pensées écartent de votre imagination tout ce qui peut la noircir : nous sommes pour jamais l'un à l'autre ; quelle véritable peine peut s'allier à cette idée ? »

Le charme d'un tel langage aurait dissipé toutes les inquiétudes d'Inès, si elle n'eût tremblé que pour elle ; mais elle craignait pour dom Pèdre ; rien ne pouvait la rassurer.

Sous le prétexte de santé, Inès demanda un congé de six mois, qui lui fut accordé.

Amalia, qui avait tant favorisé ces dangereuses amours, n'eut aucune envie de la suivre ; elle n'avait pu résister à l'ambition de devenir la confidente d'un grand prince ; mais, au fond, elle était encore plus attachée à sa place auprès de la Reine, et il lui parut impossible de pouvoir exister six mois en province après avoir eu l'honneur de passer un an à la cour de Lisbonne. Le monde est toujours ingénieux et délicat en procédés quand il les juge dans la conversation. On blâma universellement Amalia de n'avoir pas suivi Inès ; d'autant plus qu'on regardait le départ de cette dernière comme une disgrâce et une espèce d'exil ;

on se déchaîne rarement contre les gens qui ne font ombrage à personne ; mais aussi, quand ce malheur leur arrive, il est sans ressource ; il faut des talents, du mérite, et de la force pour expier aux yeux du monde une faute réelle, ou même pour triompher d'une calomnie. Aussi l'insipide et vaine Amalia fut-elle la victime de cette malveillance. Pachéco, qui la regardait comme un espion d'Inès et du prince, la perdit dans l'esprit du Roi et de la Reine ; elle fut obligée de quitter sa place, et elle passa le reste de ses jours dans l'humiliante obscurité produite par un profond oubli.

Inès se rendit à Coïmbre [1], dans le Beira, auprès de la terre où elle avait été élevée et du château d'Alonzo. Le prince lui avait fait préparer un palais, où elle descendit et s'établit. Alvarès, son parent, et Alonzo l'accompagnèrent jusqu'à Coïmbre ; ensuite ils retournèrent à Lisbonne. Alonzo voulait rester à la cour pour y veiller à ses intérêts. Quelques jours après, dom Pèdre annonça qu'il partait pour une maison de chasse qu'il avait à dix lieues de Lisbonne, et où il allait souvent seul. Il n'emmena avec lui que Garcias, Alvarès, un écuyer nommé Pédrillo, dont il connaissait la fidélité, et deux domestiques sur

---

1. Historique. Coïmbre, capitale du Beira, située sur une montagne au pied de laquelle coule le Mondego, est à trente-six lieues de Lisbonne.

lesquels il pouvait compter, et il vola à Coïmbre. Il y passa trois semaines, et en partant il laissa à Inès Pédrillo son écuyer, voulant qu'elle eût auprès d'elle un homme qui possédait toute sa confiance. Peu de temps après, le prince revint, toujours secrètement ; et, le lendemain de son arrivée à Coïmbre, Inès mit au jour un prince, que dom Pèdre reçut dans ses bras avec toute l'ivresse de joie que peuvent causer le plus tendre, le plus violent amour et une première paternité.

Tandis que dom Pèdre s'abandonnait tout entier au bonheur qu'il devait payer si chèrement par la suite, l'implacable Pachéco tramait les plus noirs complots contre lui : il était enfin parvenu, à force de perquisitions et en subornant un des domestiques d'Inès, à découvrir avec certitude le mariage secret. Afin de rendre la faute du prince beaucoup plus grave, il se garda bien d'en instruire le Roi. Par ses intrigues, on parvint à faire croire à la Reine que le prince n'avait plus de passion pour Inès ; qu'un mariage avec une princesse achèverait de l'en détacher ; que la princesse Constance de Castille, nièce de la Reine, dont on vantait la beauté, avait quinze ans, et que cette alliance affermirait la paix entre les deux couronnes. La Reine se passionna pour cette idée, que le Roi avait déjà eue. Pachéco disposa ce prince à la recevoir avec joie ; il lui persuada que, pour ôter à dom Pèdre la possibilité d'un refus, il fallait négocier le mariage à son insu. En effet, on traita cette affaire avec le plus grand secret, et enfin les paroles de part et d'autre furent données. Inès depuis près d'un an avait quitté la cour, lorsqu'un jour le Roi fit appeler dom Pèdre dans son cabinet, pour lui annoncer que son mariage avec la princesse de Castille était arrangé, et qu'elle arriverait incessamment pour l'épouser. Dom Pèdre répondit sans hésiter, et ce fut pour faire le refus le plus formel et le plus positif.

« Quoi ! dit le Roi d'un ton sévère, y pensez-vous ? J'ai donné ma parole...

— Sans me consulter.

— Pouvais-je douter de votre obéissance, quand je vous propose une princesse charmante, une alliance digne de vous, et nécessaire au bonheur de l'État ?

— Mon sang et ma vie vous appartiennent, mais mon cœur et ma foi dépendent de moi seul.

— Je veux bien excuser ce premier mouvement ; la réflexion vous fera sentir combien il doit m'offenser. Allez ; dans trois jours vous me rendrez réponse. Songez seulement que je n'aurai point en vain donné ma parole ; et ne me forcez pas à vous ordonner en maître justement irrité ce que je viens de vous demander en père. »

Dom Pèdre sortit sans répliquer.

Le Roi rendit compte de cet entretien à Pachéco, qui affecta la plus grande surprise, et qui dit que le prince ne persisterait sûrement pas dans un refus aussi coupable que bizarre.

A cette époque, on reçut la nouvelle que les Maures avaient fait une irruption dans une province éloignée de Lisbonne. Aussitôt le prince demanda à être envoyé contre eux. Le Roi répondit qu'il fallait auparavant que l'alliance avec la Castille fût rendue publique ; et le lendemain le Roi, guidé par les avis de Pachéco, assembla son conseil, et y fit appeler dom Pèdre. Là, en présence des plus illustres personnages de sa cour, et comme s'il eût compté sur son obéissance, après avoir détaillé tous les avantages de l'alliance projetée, il déclara solennellement qu'elle était arrêtée, que réciproquement les paroles étaient données, et il nomma l'ambassadeur qui devait aller chercher la princesse. Lorsqu'il eut cessé de parler, dom Pèdre garda un instant le silence. Le Roi, comme il s'en était flatté, crut qu'il n'oserait le démentir dans une assemblée si imposante. Mais dom Pèdre, se levant et s'adressant au Roi, sollicita la permission de faire la réponse que le Roi n'avait pas voulu recevoir d'abord, et qu'il lui avait ordonné de méditer trois jours. Alors il réitéra avec fermeté le refus qu'il avait déjà fait à la première proposition. Le Roi indigné répondit d'un ton menaçant qu'il voulait être obéi.

« L'honneur me le défend, repartit le prince.

– Comment ?

– Je suis marié, Inès de Castro est mon épouse. »

A ces paroles, la salle du conseil retentit d'une exclamation de surprise qui fut universelle, et à laquelle succéda un profond silence. Au bout de quelques minutes, le prince, élevant la voix et s'adressant toujours au Roi :

« Je sens, dit-il, toute l'étendue de ma faute ; mais je suis seul coupable : Inès fuyait et s'expatriait pour se dérober à mes poursuites ; toutes les séductions de l'amour n'auraient pu triompher de ses résolutions ; j'ai été forcé d'employer la violence et mille stratagèmes. Je serai fidèle jusqu'à mon dernier soupir à tous les serments qu'elle a reçus de moi au pied des autels. Si, malgré sa jeunesse et son innocence, elle devenait l'objet de la moindre persécution (ce que l'équité du Roi ne me permet pas de craindre), je la défendrais au péril de ma vie et par tous les moyens possibles. Mais que la colère du Roi ne tombe que sur moi, et je m'y soumettrai sans plainte comme sans résistance.

– C'en est assez, interrompit le Roi ; sortez. »

Le prince obéit sur-le-champ.

Le Roi furieux fit arrêter dom Pèdre, que l'on conduisit dans une prison d'État ; ce qui répandit dans Lisbonne une consternation générale, car le prince, malgré ses défauts, était universellement aimé.

Pachéco, consulté par le Roi, dit que, si l'on pouvait obtenir d'Inès son consentement à la cassation de ce mariage clandestin, le prince rentrerait facilement dans son devoir. Pachéco ajouta qu'Alonzo, tuteur d'Inès, avait sur son esprit un pouvoir absolu, et que, s'il se chargeait de cette commission, il réussirait sûrement. Pachéco, en donnant ce conseil, pensait qu'Inès rejetterait cette proposition, et que le Roi serait en même temps plus irrité et persuadé qu'Alonzo n'aurait pas agi de bonne foi ; et Pachéco voulait perdre Alonzo, dont il redoutait la pénétration et la probité. Alonzo fut mandé un soir par le Roi, qui le reçut tête à tête, et qui lui expliqua ce qu'il attendait de lui. Alonzo réfléchit un moment ; ensuite il dit que le Roi seul pourrait engager Inès à ce grand sacrifice ; mais qu'il ne faudrait pas perdre un instant, partir sans délai, aller surprendre Inès avant qu'elle pût se préparer à cette redoutable entrevue ; qu'en lui parlant avec douceur, avec bonté, le Roi, qu'elle révérait du fond de l'âme, obtiendrait tout d'elle. Alonzo appuya ce conseil par tant d'excellentes raisons, qu'il décida le Roi à partir secrètement avec lui sans aucun délai. Il laissa pour Pachéco un billet, dans lequel il l'instruisait de cette soudaine résolution, en ajoutant qu'il l'avait prise d'après ses propres avis.

Durant la route, Alonzo, seul avec le Roi dans la voiture, n'entretint ce prince que d'Inès ; sous prétexte de la lui faire bien connaître, il lui vanta l'élévation, la pureté de son âme, sa douceur angélique ; il lui conta les traits les plus touchants de ses amours avec dom Pèdre ; il n'oublia pas de semer ce récit de quelques réflexions sur le changement heureux qu'elle avait opéré dans le caractère de ce prince ; enfin il lui apprit qu'elle avait un fils beau comme un ange, et qu'elle allaitait. Il dit toutes ces choses sans nulle affectation, parce que le Roi, progressivement ému, le questionnait avec un intérêt que chaque instant semblait accroître.

N'étant plus environné de la pompe royale et d'une cour trompeuse, le Roi, livré à lui-même, rentrait peu à peu dans le sein de la nature ; il oubliait des conventions sévères, et, en arrivant à Coïmbre, il n'était plus qu'un homme sensible et un père compatissant. Le Roi, qui avait voyagé toute la nuit, arriva le matin à Coïmbre. En entrant dans le palais d'Inès, il dit à Alonzo :

« Allez la prévenir, et surtout ne l'effrayons pas.

128

— Non, non, seigneur, reprit Alonzo ; elle a une telle confiance dans votre bonté, que votre auguste présence ne pourra lui causer que de la joie. »

Le Roi soupire, et suit Alonzo, qui lui fait traverser plusieurs pièces ; enfin il ouvre la porte de la chambre d'Inès, il fait passer le Roi, qui voit Inès, seule, assise dans un fauteuil, et tenant dans ses bras un enfant charmant... La beauté ravissante d'Inès, celle de l'enfant, causèrent au Roi un attendrissement si profond, que, ne pouvant retenir ses larmes, il cacha son visage avec ses deux mains... Le saisissement d'Inès en apercevant le Roi fut inexprimable ; mais la vue d'Alonzo la rassura et l'enhardit. Aussitôt elle se lève, va se jeter aux genoux du roi, et, posant son enfant à ses pieds :

« Seigneur, dit-elle avec un accent qui allait au cœur, ne punissez que moi ; mais daignez jeter sur cette innocente créature un regard paternel, et je serai trop heureuse... »

Le Roi lui tend la main ; Inès voit son visage baigné de pleurs. Elle se relève en prenant son enfant ; le Roi lui tend les bras ; elle s'y précipite, elle appuie son enfant sur le cœur palpitant du Roi, en disant :

« Voilà notre véritable asile, je n'en veux point d'autre.

– Heureuse Inès ! s'écrie Alonzo, vous êtes digne de jouir de ce triomphe sublime de l'innocence et de la nature !

– C'en est trop, dit le Roi ; je n'y puis résister ; mon cœur a reconnu cet enfant pour mon petit-fils ; je ne le démentirai point. »

A ces mots il tombe dans un fauteuil, en retenant l'enfant sur ses genoux, et, ne mettant plus de bornes à sa bonté, il embrassa Inès à plusieurs reprises, en l'appelant sa fille. Inès, dans ce moment, le plus beau de sa vie, pensait surtout à dom Pèdre, et s'écriait :

« Ah ! que n'est-il ici !... »

Elle n'osait pas témoigner à Alonzo toute sa reconnaissance ; car elle devinait bien qu'elle devait son bonheur à son ingénieuse amitié ; mais ses regards parlaient pour elle... Alonzo, qui en effet avait prévu ou du moins espéré cet heureux dénouement, jouissait délicieusement de son ouvrage.

Le Roi voulut retourner à Lisbonne au bout d'une heure. Il fut convenu qu'Inès, déclarée sur-le-champ princesse de Portugal, n'irait jamais à la cour, et qu'elle resterait à Coïmbre.

Le Roi, en partant, suivi par Inès jusqu'à sa voiture, l'embrassa en présence de toute sa maison rassemblée ; et, reconnaissant Pédrillo, écuyer de dom Pèdre, il lui dit tout haut qu'il lui recommandait de servir toujours avec zèle la princesse de Portugal.

Le Roi en quittant Coïmbre devint silencieux et rêveur. A mesure qu'il se rapprochait de sa cour, il était obsédé d'une multitude d'idées entièrement opposées à celles qui venaient de lui causer de si vives émotions ; et ce fut en vain qu'Alonzo tâcha de le distraire, en lui parlant du bonheur suprême qu'il allait procurer à son fils. Cependant ce tableau toucha le Roi : il répéta qu'il soutiendrait ce qu'il venait de faire ; mais il ajouta en soupirant qu'il ne se dissimulait pas tous les dangers d'une telle indulgence.

Pendant cette courte absence du roi, l'inquiétude et la haine de Pachéco n'étaient pas demeurées oisives. Se doutant bien que la vue d'Inès toucherait profondément le Roi, il ne s'occupa qu'à chercher les moyens non seulement d'affaiblir cette impression, mais d'y faire succéder la colère ; et, dans cette intention, il excita une émeute du peuple en faveur du prince. Le peuple se porta en foule autour de la prison où le prince était renfermé, et demanda à grands cris sa liberté, en menaçant de briser les portes. On envoya des troupes, qui dissipèrent ce rassemblement ; mais on posa partout des corps de garde, qui donnaient à Lisbonne l'aspect d'une ville en état de guerre. A deux lieues de Lisbonne, un courrier, envoyé au Roi par Pachéco, instruisit ce prince de cet événement, dont toutes les circonstances étaient prodigieusement exagérées. Cette nouvelle produisit sur le Roi tout l'effet qu'en attendait Pachéco ; il fut pénétré d'indignation, et sa colère s'accrut encore en traversant Lisbonne, qu'il vit remplie de troupes, ce qui annonçait la crainte d'un nouveau soulèvement. Arrivé au palais, il y trouva Pachéco, qui l'attendait, et qui ne manqua pas de lui dire que la sédition n'avait été excitée que par les amis du prince. A ce récit, le Roi s'écrie :

« Et j'ai eu la faiblesse de reconnaître son mariage !... »

Ces paroles atterrèrent Pachéco ; mais, dissimulant et prenant sur-le-champ son parti :

« Hé bien ! seigneur, reprit-il, n'hésitez pas à déclarer cette action faite avant la sédition, vous prouverez ainsi que votre clémence n'est point un effet de la peur ; envoyez chercher le prince tandis qu'on assemblera le conseil, et là vous lui annoncerez à la fois son bonheur et son pardon ; ensuite vous l'enverrez combattre les Maures, et pendant son absence on pourra penser à loisir aux mesures nécessaires à prendre pour prévenir par la suite de semblables révoltes. »

Le Roi, qui ne vit dans ces conseils que de la prudence et de la générosité, les approuva et les suivit. Le prince, tiré de sa prison et conduit dans la salle du conseil, entendit avec ravissement le Roi son père proclamer Inès princesse de Portugal. Et, comme dom Pèdre exprimait sa reconnaissance :

« C'est par vos exploits qu'il faut la prouver, dit le Roi ; les Maures envahissent nos provinces, et sans doute la Castille nous déclarera bientôt la guerre : allez chasser les infidèles ; et, par des services éclatants, justifiez ma clémence et ma bonté paternelles. »

Dom Pèdre, sans perdre de temps, rassembla des troupes et une foule de volontaires qui s'empressèrent de s'enrôler sous ses drapeaux. L'amour et l'enthousiasme que l'on fit éclater pour lui de toutes parts furent dépeints au Roi comme les résultats des intrigues de ses amis ; et le Roi, effrayé par de perfides insinuations, crut avoir à redouter, outre les guerres extérieures, tout le danger des soulèvements intérieurs et toutes les entreprises des factions les plus audacieuses.

Le prince partit pour l'armée. La route naturelle était de passer par Coïmbre ; il ne s'y arrêta que deux heures pour voir Inès ; il entra dans la ville au bruit des acclamations d'un peuple immense et des cris mille fois répétés : « Vive le prince ! vive la princesse ! » La douce et bienfaisante Inès était adorée dans la province, et la nouvelle de son élévation excitait parmi les habitants une joie universelle. Mais, sans dédaigner cet éclat si brillant qu'elle devait à l'amour, Inès était accablée de douleur en songeant que dom Pèdre allait être exposé à tous les dangers de la guerre. Elle le vit au comble de ses vœux ; elle lui cacha, autant qu'il lui fut possible, ses mortelles alarmes et ses funestes pressentiments. Dom Pèdre lui-même, en la quittant, sentit son cœur se déchirer ; et aussitôt qu'il disparut à ses yeux elle tomba sur une chaise ; et, sans pouvoir verser une larme, elle regarda fixement la porte qui venait de se fermer sur lui, et elle resta dans un état effrayant de stupeur et d'immobilité. Elle était plongée dans cette douloureuse léthargie, lorsque des dames, arrivées de Lisbonne et nommées par dom Pèdre pour rester auprès d'elle, entrèrent dans sa chambre, en lui disant que son salon était rempli par les personnages les plus considérables de la ville qui venaient lui rendre leurs hommages.

« Hélas ! répondit Inès, suis-je en état de les recevoir ?... Et de quoi vient-on me féliciter quand je tremble pour ses jours ?... »

Cependant elle se leva, et, faisant un puissant effort sur elle-même, elle composa son visage, et elle alla écouter des harangues et passer deux heures au milieu de deux cents personnes. L'infortunée ne devait connaître de la grandeur que la dure contrainte qu'elle impose et la pénible obligation de renfermer au fond de son âme ses craintes et ses chagrins.

Sur le soir, la ville fut illuminée ; on tira plusieurs feux d'artifice. Tous les jeunes gens de la ville, avec des luths et des guitares, parcouraient les rues et chantaient des romances sous les fenêtres de leurs maîtresses, espérant que dans ce jour d'allégresse, consacré à célébrer l'heureux hymen d'Inès et de dom Pèdre, l'amour leur serait plus favorable. La malheureuse princesse, qui ne pensait qu'à la guerre des Maures, ne put supporter ces fêtes, ces réjouissances, qui lui perçaient le cœur. Elle n'avait pas encore eu le courage d'aller revoir le château où s'étaient écoulées les paisibles années de son enfance et de sa première jeunesse ; elle avait craint de se retrouver dans ce château où reposaient les cendres de sa grandmère ; mais elle éprouvait un tel besoin de s'éloigner d'un lieu où tout respirait la joie, qu'elle résolut d'aller sur-le-champ passer quelques jours dans sa terre. Elle partit seule à neuf heures du soir, et elle arriva en moins de deux heures. Elle se rendit aussitôt à la chapelle où se trouvait le tombeau de Mélinda, et prosternée, elle l'arrosa de larmes. Les regrets qu'elle donnait à sa mé-

135

moire semblaient la soulager ; c'était une sorte de distraction à une douleur plus vive et plus profonde. Elle parcourut ensuite tout le château, et chaque pas lui retraçait un souvenir que sa situation actuelle rendait amer et pénible. Elle n'était que depuis deux jours dans cette solitude, lorsqu'Alonzo, qui allait rejoindre l'armée, y arriva : il mit le comble à sa tristesse, en lui avouant que l'éloignement du prince et l'obligation où il était lui-même de partir lui donnaient mille craintes pour sa sûreté ; il ne lui cacha point qu'il avait découvert des traits de duplicité de Pachéco, qui lui persuadaient que ce ministre si puissant nourrissait contre elle une haine implacable, et il lui offrit de la conduire dans une retraite sûre, à cinq lieues de Coïmbre, chez un de ses parents, où elle pourrait rester cachée jusqu'au retour de dom Pèdre. Il ajouta qu'elle écrirait à ses dames qu'elle avait reçu l'ordre de dom Pèdre de se rapprocher de lui, en allant habiter incognito une des villes voisines du théâtre de la guerre, et que dans la nuit de ce même jour il l'emmènerait avec une de ses femmes, et la déposerait dans l'asile le plus sûr.

« Mais que craignez-vous pour moi ? dit Inès.

— Ah ! reprit Alonzo, que n'a-t-on pas à redouter d'une âme capable de vous haïr ! Je crains qu'on ne vous enlève, qu'on n'attente à votre li-

136

berté, pour la faire ensuite acheter à dom Pèdre, et aux plus odieuses conditions. Enfin j'ignore ce que l'on veut faire ; mais je suis certain que l'on ourdit quelque noir complot contre vous ; je sais, à n'en pas douter, que Gonzalès et Coello, ces vils courtisans, créatures de Pachéco, ont fait ces jours passés un voyage secret à Coïmbre. Au nom du ciel, mettez-vous à l'abri de ces intrigues ténébreuses... Fuyez !...

– Non, non, je ne puis prendre un tel parti sans le consentement de dom Pèdre.

– Il vous le prescrirait, s'il était instruit de tout ce que j'ai découvert ; et songez que, forcé de partir et d'aller faire d'abord des rassemblements de troupes dans des lieux où il n'est pas, je ne pourrai le rejoindre et par conséquent lui parler que dans trois semaines au plus tôt. Que d'événements peuvent arriver d'ici là !...

– Mon cher Alonzo, je n'ai point obéi aux volontés maternelles ; j'ai été indocile, téméraire, présomptueuse ; je serai punie, je m'y résigne.

– Vous me percez le cœur ! Eh quoi ! dans aucune circonstance de votre vie je n'aurai donc pu vous être utile ?

– Vous pouvez me l'être dans l'un de mes plus chers intérêts. Coïmbre est mon seul asile, puisqu'il a été choisi par dom Pèdre ; mais j'accepte pour mon fils celui que vous m'offrez : mettons en sûreté cet enfant jusqu'au retour de son père ; je l'ai amené ici, il est sevré ; je dirai à Coïmbre que je l'ai envoyé respirer quelque temps l'air des montagnes, nécessaire à sa santé. Conduisez-le vous-même chez votre ami avec une de mes femmes, la seule qui le suivra ; et que cette preuve d'une confiance si intime, si parfaite, soit une expiation de tous mes torts avec vous. »

A ce discours, Alonzo ne put retenir ses pleurs ; mais, voyant qu'il était impossible de vaincre la résistance d'Inès, il se chargea de son enfant, et partit accablé d'inquiétude et de tristesse.

Inès, privée de son époux, de son enfant, et de l'ami le plus vigilant et le plus fidèle, fut saisie d'une terreur qui ne la quitta plus : elle retourna à Coïmbre ; elle y avait laissé son écuyer Pédrillo, qu'elle y retrouva malade et dans son lit. Elle n'avait dans sa maison de véritable confiance qu'en lui ; et, ce dernier appui lui manquant, son effroi n'eut plus de bornes : toujours dans l'attente d'un événement sinistre, elle passait des journées pleines d'agitation et des nuits affreuses ; elle craignait le sommeil, et, lorsqu'elle y succombait, elle se réveillait en sursaut, croyant toujours entendre du bruit, et qu'on forçait sa maison pour venir l'enlever. Ses inquiétudes sur la guerre surpassaient encore les tourments que lui causaient

ses frayeurs ; elle n'existait plus que pour craindre et pour souffrir. Cependant le prince lui en-
voyait continuellement des courriers de l'armée,
et au bout d'un mois elle en reçut un qui lui ap-
portait des nouvelles qui suspendirent tous ses
maux. Le prince avait remporté une éclatante victoire, et sa santé était parfaite ; mais la guerre
durait encore ; les Maures n'étaient pas tout à
fait expulsés du Portugal, il fallait les poursuivre
et les chasser entièrement. Le premier mouvement d'Inès fut d'éprouver un transport de joie
inexprimable, de cette joie qui manque de paroles, qui n'en cherche point, parce que rien ne peut
la peindre, et qui fait verser des larmes si délicieuses... Mais la joie excessive est bientôt épui-
sée. Inès, après s'être livrée tout entière à une
impression si vive, reprit avec plus d'amertume
encore le sentiment de ses maux.

« Ah ! se disait-elle, le bonheur est-il fait pour
moi ? Peut-on le trouver dans un rang qui nous
arrache à notre situation naturelle ? L'état où
nous nous élevons paraît être toujours une usur-
pation ; ceux dont nous devenons les égaux nous
dédaignent et nous haïssent, et ceux qui ne le
sont plus nous envient. Hélas ! qu'ils ont tort ! Je
souffre tous les tourments que peut éprouver une
épouse et une mère. Oh ! combien j'ai méconnu le
bonheur de la douce obscurité ! Infortunée ! mon

véritable protecteur ne peut me défendre, et mon enfant est plus est sûreté dans un asile étranger que dans mes bras !... »

Rien ne pouvait distraire Inès de ces tristes réflexions, et elle s'en pénétra tellement que sa santé en fut altérée.

Peu de jours après la nouvelle de la victoire sur les Maures, Inès reçut une lettre d'Alonzo, qui lui mandait que, chargé par le prince d'une commission particulière pour elle, il suivrait de près sa lettre, et qu'elle le verrait incessamment. Inès attendit ce moment avec une extrême impatience. Elle devinait qu'Alonzo, n'ayant rejoint le prince qu'au moment de la bataille, n'avait pu lui communiquer ses craintes que depuis peu de temps, et que dom Pèdre lui faisait donner l'ordre de quitter Coïmbre : c'était tout ce qu'elle désirait. Ses frayeurs lui rendaient odieuse la ville de Coïmbre ; un secret pressentiment l'avertissait que si elle en pouvait sortir seule et sans suite elle éviterait la plus noire destinée. Elle avait donné à son fils la seule personne en qui elle eût confiance, à l'exception de Pédrillo ; mais ce dernier était toujours malade. Enfin elle avait du moins la certitude qu'Alonzo était en route, qu'il venait la chercher pour la réunir à son enfant, et dans un asile à l'abri de toute persécution. Il lui semblait que la seule vue de

cet incomparable ami dissiperait toutes ses craintes et la préserverait de tout malheur ; elle
connaissait son zèle, son activité, son généreux
dévouement ; elle le voyait accourir vers elle et
voyager nuit et jour ; elle le supposait avec raison à peu de distance de Coïmbre ; elle attendait et à chaque minute ce retour si désiré, et
cependant elle ne l'espérait pas. Une voix intérieure et funèbre lui disait : « Il arrivera trop
tard... » Durant tout le cours de cette journée,
Inès fut plongée dans une invincible rêverie et
dans une telle distraction, qu'elle ne voyait et
n'entendait rien de tout ce qui se passait autour
d'elle. Ne pouvant rester en place, et voulant se
soustraire à l'importune société de ses dames,
elle errait seule dans son palais, et de temps en
temps elle s'arrêtait en tressaillant, croyant entendre monter précipitamment l'escalier ou le
bruit d'une voiture entrant dans les cours. Ce
mouvement était mêlé de joie et d'épouvante, ne
sachant si l'on venait pour l'enlever ou si c'était
Alonzo, son libérateur... Une réflexion assez naturelle portait au comble son effroi : elle pensait
que, si en effet Pachéco tramait contre elle
quelque noir dessein, il n'avait plus de temps à
perdre pour l'exécuter, puisque le prince allait
revenir couvert d'une gloire éclatante, et qui, en
le rendant plus digne encore de l'admiration et

141

de l'amour du peuple et de la nation, lui donnerait par conséquent plus de moyens de la protéger et de la défendre.

« Hélas ! se disait-elle, sa gloire même nous
sera nuisible, puisqu'on a trouvé les moyens de le
rendre suspect au Roi ! S'il vient assez promptement pour me sauver, il sera persécuté personnel-
lement, et j'en serai la cause !... Si je succombe
aux efforts de la haine, il voudra me venger, et,
pour y parvenir, il se perdra s'il le faut... Le fidèle Alonzo sera enveloppé dans nos malheurs ;
quel prix d'un attachement si tendre et si magnanime ! Et, au milieu de cette lutte affreuse, que
deviendra mon fils !... Ô mon cher, mon unique
enfant, objet touchant de mes plus vives alarmes,
tu seras la victime innocente du destin rigoureux
de ton imprudente mère ! »

Ces pensées lui ravissaient tout son courage ;
elle ne voyait autour d'elle que des abîmes ; nulle
supposition consolante ne s'offrait à son imagination, et son danger lui paraissait si pressant, que
chaque minute augmentait le trouble mortel de
son âme. Dans cette même journée un triste événement acheva de l'accabler. Pédrillo tout à coup
fut réduit à la dernière extrémité. Il lui fit dire
mystérieusement par sa garde qu'il avait quelque
chose d'important à lui révéler. Au moment
même elle va chez lui ; elle le trouva expirant.

Cependant, à sa voix, il entrouvrit les yeux, et lui dit :

« Défiez-vous de...

— Et de qui ? grand Dieu ?... »

Il ne put répondre ; la mort pour jamais venait de lui couper la parole...

« Ainsi donc, dit Inès en versant des larmes amères, il emporte dans la tombe un avis important !... »

Elle se hâta d'aller s'enfermer dans son cabinet ; elle se jeta sur un lit, en répétant avec saisissement : « De qui dois-je me défier ?... » Elle voulut questionner la garde de Pédrillo ; elle apprit que cette femme était sortie précipitamment du palais. Inès cacha à tout ce qui l'entourait cette courte et funeste entrevue avec l'infortuné Pédrillo ; mais cette idée la poursuivit dans tous les instants. Tout sembla se réunir dans cette journée pour frapper son imagination. Les astronomes avaient annoncé pour le lendemain une éclipse effrayante. Des idées superstitieuses faisaient généralement redouter ce phénomène ; Inès ne partageait que trop ces vaines inquiétudes. Le soir elle se mit au lit plus tard que de coutume ; elle fuyait la société, et elle redoutait la morne solitude et le silence de la nuit. Au milieu des agitations d'un sommeil convulsif elle rêva qu'elle voyait son fils couché dans une chambre tendue

de noir, et Alonzo vêtu de longs habits de deuil,
et baigné de pleurs, à genoux auprès du berceau
de l'enfant... Elle se réveilla en frémissant, et,
avec une violente palpitation de cœur, elle appela
ses femmes, et se leva avec une tristesse et une
terreur que sa raison combattait vainement. Elle
se traîne vers une fenêtre, elle l'ouvre, et s'appuie
sur un balcon d'où l'on découvrait le Mondego,
et, dans le lointain, ses rives enchantées parse-
mées de belles plantations et de maisons de plai-
sance. Le jour venait de paraître. Inès aperçoit
dans ce riant tableau une jolie chaumière isolée,
à moitié cachée sous l'ombrage épais d'un bois de
tilleuls et de citronniers. Les yeux appesantis
d'Inès s'attachent sur cette humble demeure.

« Que ne suis-je née, s'écria-t-elle, dans cette
paisible habitation, où l'on ne craint ni les
complots de la haine, ni les crimes de l'ambition
et de l'orgueil !... Que dis-je ? hélas ! la tendresse
maternelle ne m'avait-elle pas préparé la destinée
la plus pure et la plus tranquille ? Si je n'avais
pas méprisé sa sage prévoyance, rien n'aurait pu
troubler ma vie !... Ah ! si l'amour n'eût exposé
que moi, je suis aimée, pourrais-je me repentir !...
Mais mon fatal hymen rassemble tant de périls
sur la tête de dom Pèdre et sur celle de mon fils !
Et peut-être attirera-t-il sur mon pays toutes les
calamités que la guerre entraîne avec elle, et ces

fléaux terribles seront les fruits amers de ma folie et de mon imprudence !... Souffrons, gémissons sans murmurer, j'ai mérité mon sort ! Puisse le ciel ne prendre que moi pour victime ! »

En parlant ainsi, Inès élève vers les cieux ses tristes regards ; elle frissonne en voyant l'éclat du jour s'affaiblir... On était au mois d'août ; l'air était brûlant ; toute la nature paraissait alarmée ; on entendait au loin les mugissements du taureau et du buffle ; les oiseaux se heurtaient en volant, et tombaient sur la terre, comme si l'effroi leur eût ôté l'usage de leurs facultés naturelles ; le soleil, en retirant par degrés sa lumière bienfaisante, semblait abandonner la création consternée et la livrer à quelque grande catastrophe... Un voile sombre s'étendait sur les rives délicieuses du Mondego ; Inès ne distinguait plus qu'avec peine les maisons et les arbres ; elle croyait voir la rive s'éloigner d'elle, comme dans un vaisseau quittant le port on voit tous les objets se décolorer, se couvrir d'abord d'un léger brouillard et bientôt se perdre dans la vague et s'anéantir sous l'œil attristé qui les regrette et les cherche en vain... Ainsi nous échappent le bonheur fugitif et la joie trompeuse !... Inès, faible et tremblante, était pénétrée de cette douloureuse et profonde mélancolie qui saisit l'âme tout entière et qui n'y laisse place qu'à la souffrance. Pouvant à peine se sou-

145

tenir, elle rentra dans son cabinet, et, croyant qu'elle allait se trouver mal, elle appela ses femmes. Un valet de chambre, qui la servait avec une assiduité remarquable, accourut aussitôt, et, voyant Inès prête à s'évanouir, il lui rappela qu'elle était à jeun, et lui offrit un verre d'eau et de vin, qu'elle accepta, et qui lui fut apporté au moment même. Inès le but, et le valet de chambre se hâta de sortir. Elle resta seule, et au bout de quelques minutes elle se sentit si mal que pour la seconde fois elle appela ses femmes. Mais personne ne répondit... Elle ne pouvait avoir recours à ses dames, qui étaient logées à l'autre extrémité du palais... Elle appela encore et à plusieurs reprises, mais toujours inutilement... Alors l'infortunée répéta en frémissant les dernières paroles de Pédrillo : « Défiez-vous de... »

« Eh quoi ! dit-elle, suis-je abandonnée de l'univers entier ?... »

Cependant, la frayeur ranimant ses forces défaillantes, elle appelle à haute voix ; et pour cette fois elle entend marcher à grands pas... Tout à coup la porte s'ouvre, et, au lieu de ses femmes, elle voit paraître trois hommes armés de poignards. Son sang se glace dans ses veines. Elle a reconnu Pachéco, Gonzalès et Coello... Elle se voit entourée d'assassins ! Elle appellerait en vain à son secours l'amour et l'amitié, sa faible voix ne

peut être entendue ; elle est seule, livrée sans dé-
fense à toute la barbarie d'une haine forcenée...
Cependant à sa vue Pachéco reste immobile un
instant ; il contemple avec un désespoir féroce
cette beauté céleste qui avait rejeté ses vœux ;
plus il l'admire, et plus sa rage augmente... La
malheureuse Inès se jette à genoux, non pour im-
plorer ses bourreaux, mais pour adresser au ciel
une dernière prière :

« Ô Dieu ! dit-elle, protège du moins mon
époux et mon fils !

– Ton époux ! s'écrie avec fureur Pachéco, il
paiera cher ton amour insensé ; je saurai l'atteindre ; vous serez bientôt réunis dans la tombe...
J'ai déjà su gagner tes domestiques, me défaire
de l'insolent Pédrillo, m'emparer de ton palais...
Tu m'as dédaigné, méprisé, et cette main qui
voulait s'unir à la tienne, cette main repoussée
par ton orgueil, ne veut plus que du sang... Tu
vas périr ! »

Comme il disait ces mots sans avancer encore,
un sombre nuage semble descendre des cieux et
se placer entre Inès et lui pour lui dérober sa
victime... Il frissonne ; il lève les yeux vers les
fenêtres, et voit disparaître le jour, et de profondes ténèbres succéder à la lumière... L'éclipse,
commencée depuis deux heures, devenait
complète... Inès, ranimée par un faible espoir, se

traîne vers une porte placée à l'autre extrémité du cabinet. Pachéco, entendant qu'elle cherchait à s'échapper, s'avance pour la saisir ; mais, dans cette obscurité, il rencontre une table, se heurte, et tombe.

« Tu fuis vainement, lui cria ce monstre ; tu n'éviteras pas ton sort ; un poison mortel circule dans tes veines... Je voulais m'assurer par moi-même de ma vengeance, et l'achever en lavant dans ton sang le plus cruel affront... Mais, si tu m'échappes, du moins tu n'échapperas pas à la mort... »

A ces terribles paroles, Inès croit entendre la voix même de l'inexorable destin ; toutes ses forces l'abandonnent ; elle s'évanouit... Cependant les complices de l'infâme Pachéco lui représentèrent qu'ils auraient de la peine, au milieu de cette obscurité, à retrouver leur chemin dans ce palais, et à en sortir, malgré les clés dont ils étaient munis. L'exécrable valet de chambre qui avait introduit ces scélérats par une porte de derrière vint les prendre, les conduisit, et sortit avec eux. Ils trouvèrent des chevaux et partirent ; mais la Providence ne les laissa fuir qu'en leur réservant les châtiments affreux dus à l'énormité de leurs crimes.

Tous les gens d'Inès, ses femmes, ses domestiques, à l'exception de ceux qui gardaient les grandes portes, corrompus par l'or de Pachéco, avaient pris la fuite. Il restait encore dans un autre corps de logis deux pages, un écuyer, et les gens de l'écurie : mais les portes de communication étaient toujours fermées en dedans du côté de la princesse ; on ne les ouvrait qu'à neuf heures ; il n'était pas huit heures, et presque tout le monde était encore endormi. Les dames, qui logeaient au bout du palais, ne se réveillèrent qu'après la fuite des meurtriers. Leurs femmes, effrayées de l'éclipse totale, n'avaient point de lumière. On se leva dans les ténèbres, on appela, et le silence profond du palais épouvanta plus encore que l'obscurité... On chercha l'escalier, on le descendit en tremblant et à tâtons. Dans ce moment, on entendit un grand bruit aux portes du palais ; on les ouvre, c'était Alonzo : ses gens portaient des flambeaux ; il entre. Alonzo est saisi d'étonnement et frappé de terreur en parcourant, à travers les ombres de cette nuit prématurée, ce palais muet et désert. Il avance en frémissant : tout ce qui le suit partage sa surprise et son effroi... Il rencontre les dames de la princesse, il les questionne : leurs réponses accroissent son trouble affreux... Tout lui rappelle cette nuit effroyable où pour la première fois il vit le triste objet de ses premières amours, et sur un lit de mort... En entrant dans la chambre d'Inès, il l'appela d'une voix entrecoupée et lamentable... Le profond silence qui régnait dans tout cet appartement ne lui laissa plus de doute sur la réalité d'un grand malheur ; mais il était loin de deviner le forfait inouï qui venait de se commettre.

« Grand Dieu ! s'écria-t-il, elle a été enlevée ! »

Dans ce moment, le jour commençait à renaître. Alonzo aperçoit une porte ouverte au bout de la chambre : il veut visiter ce cabinet, il y va ; à peine y a-t-il mis le pied, qu'il pousse un cri lamentable... Il voyait Inès, pâle, les yeux fermés et sans mouvement, étendue sur le plancher... Il crut qu'elle n'existait plus. Néanmoins il la prend dans ses bras, et la porte sur un lit.

« C'est ainsi, dit-il, que j'ai vu ta mère infortunée... Le malheur ne peut ni se terminer, ni changer pour moi ; il se renouvelle avec la même horreur et les mêmes tourments... »

Cependant les dames d'Inès lui prodiguent tous les secours qui pouvaient lui rendre l'usage de ses sens. Inès donne quelques signes de vie. Alonzo transporté reprend l'espérance ; il croit renaître avec Inès... Elle ouvre enfin des yeux languissants, qui s'attachent sur Alonzo ; elle lui tend une main glacée.

« Cher Alonzo, dit-elle d'une voix éteinte, je bénis le ciel, qui m'accorde la consolation de vous revoir pour la dernière fois...

– Que dites-vous ? Non, non, rien ne troublera plus votre vie ; je réponds désormais de votre sûreté...

– Il n'est plus temps... vous arrivez trop tard...

– Comment ?...

– Je suis empoisonnée...

– Juste ciel !... Qu'on aille chercher tous les secours...

– Ils seraient inutiles... Modérez la colère de dom Pèdre : dites-lui qu'Inès mourante lui demande d'honorer sa mémoire par la clémence... Ami fidèle ! adieu ; veillez sur mon fils... Ô Dieu ! daigne exaucer les derniers vœux de mon cœur ; pardonne-moi ma faiblesse et mon imprudence ; protège ce que j'aime, et que je ne sois ni oubliée, ni vengée... »

A ces mots, elle jette un dernier regard sur le malheureux Alonzo, qui la tenait dans ses bras, et elle expire sur son sein... Qui pourrait décrire le désespoir du généreux et sensible Alonzo ?... Ce moment d'une angoisse et d'une horreur inexprimables lui rendait en même temps toutes les douleurs de sa jeunesse : prêt à succomber à cette affreuse réunion de peines déchirantes, la pâleur de la mort sur le front et l'égarement dans les yeux, il serrait contre son cœur cette infortunée victime de l'amour et de la haine... Il croyait s'unir à elle en s'abreuvant de douleur... Son

151

écuyer l'arracha de ce triste lieu, et l'emporta presque sans connaissance dans une pièce éloignée de ce funeste appartement.

Tandis que ces scènes tragiques se passaient à Coïmbre, le barbare Pachéco retournait à Lisbonne. Avant d'en partir, il avait effrayé le Roi sur la guerre avec la Castille, et en même temps, par d'insignes calomnies, il avait perdu Inès dans l'esprit du Roi, qui lui donna l'ordre d'aller l'arrêter, si elle refusait de donner son consentement par écrit à la cassation de son mariage. Pachéco, avant de partir, répandit le bruit qu'Inès était dangereusement malade. Il revint, en disant qu'il n'avait pas été jusqu'à Coïmbre, parce qu'il avait appris sa mort...

Cependant dom Pèdre, ayant terminé son expédition contre les Maures plus tôt que ne l'avait cru Alonzo, revint avec une extrême diligence à la tête de ses troupes triomphantes. Un courrier envoyé par Alonzo, et qui le joignit à peu de distance de Coïmbre, lui apprit l'horrible catastrophe qui devait bouleverser pour jamais son caractère et sa destinée. Quand ce malheureux prince reçut ce funeste message, il était entré pour quelques instants, avec Garcias et Alvarès, dans une maison isolée qui se trouvait sur sa route... Frappé, comme si la foudre eût tombé sur sa tête, il resta pétrifié sans proférer une parole... Alvarès

152

et Garcias questionnèrent en sa présence le courrier, qui leur dit que le scélérat qui donna le breuvage empoisonné, ayant été pris par les soins d'Alonzo, et convaincu d'avoir d'abord empoisonné Pédrillo, avait tout avoué, en prouvant que Pachéco et ses complices l'avaient suborné et depuis longtemps ; le courrier ajouta que ce misérable avait été exécuté dans la matinée de ce même jour, avec deux autres domestiques dénoncés par lui, qui s'étaient cachés dans Coïmbre, et auxquels on avait arraché les mêmes aveux. Pendant ce récit, Alvarès et Garcias fondaient en larmes. Ils s'approchèrent du prince pour lui dire quelques mots ; et dom Pèdre levant sur eux des yeux étincelants :

« Ce ne sont pas des pleurs qu'il faut verser, dit-il, c'est du sang !... Qu'on ne me parle plus désormais de modération, d'humanité, de gloire... Je n'ai plus qu'un sentiment, l'horreur du genre humain et de la vie... Je n'ai plus qu'une passion, la vengeance... »

A ces mots, il se tourna vers le courrier, en lui ordonnant de repartir, et d'aller dire à Alonzo de venir sur-le-champ le retrouver dans le lieu où il était. Ensuite il écrivit au Roi, pour lui demander de lui livrer Pachéco, Gonzalès et Coello. La lettre finissait par ces mots : « Si vous hésitiez, seigneur, à me livrer ce monstre infernal et ses

153

complices, songez que j'ai sous mes ordres une armée victorieuse, et que je suis au comble du désespoir. »

Dom Pèdre envoya cette lettre par un courrier, qu'il fit partir aussitôt devant lui. Après avoir donné tous ces ordres, il alla haranguer son armée, pour lui demander de le seconder dans sa vengeance. Tous les cœurs s'émurent au récit de la mort tragique d'Inès, et l'on jura par acclamation de suivre en tous lieux son malheureux époux et de lui obéir.

La douleur de dom Pèdre non seulement n'avait rien de tendre et de pathétique, mais elle avait quelque chose de sombre et de féroce qui faisait frémir : il semblait qu'il trouvât une jouissance cruelle à l'aigrir encore en ne la ménageant pas. En parlant de la perte de cette épouse adorée, il n'employait aucune de ces expressions adoucies que la délicatesse de la sensibilité trouve si naturellement ; car alors il est des mots, des paroles que l'on ne pourrait prononcer sans un horrible déchirement de cœur. Mais dom Pèdre au contraire voulait aggraver ses maux, afin de proportionner sa vengeance à son désespoir.

Au moment où ce prince, quittant ses troupes, rentrait dans la maison, Alonzo arriva. En revoyant ce fidèle ami d'Inès, le prince montra un attendrissement qu'on n'avait point remarqué en lui depuis son malheur ; mais, indigné contre lui-même de pouvoir éprouver encore un autre mouvement que ceux de la fureur, il se hâta d'essuyer les larmes brûlantes qui roulaient dans ses yeux.

« Alonzo, dit-il d'un ton sévère, pourquoi avez-vous disposé de la destinée de cet empoisonneur ?

— Seigneur, répondit Alonzo, je n'en ai point disposé ; je l'ai remis entre les mains de la justice.

— La justice !... Dans la punition d'un tel crime, c'est moi seul qui suis la justice...

— Ce misérable a été exécuté...

— Et il devrait encore exister dans les tortures...

— Seigneur, les dernières paroles de la princesse ont exprimé des sentiments de clémence et d'humanité...

— Je veux les ignorer...

— Elle m'a ordonné de vous les redire...

— Je vous le défends. Sa mort me dégage d'une obéissance qui ne se serait jamais démentie ; l'amour, l'admiration et le bonheur en étaient les garants... Aujourd'hui je n'ai plus qu'un devoir... Il faut la venger.

— Vous remplirez mieux encore, seigneur, un devoir plus sacré, celui d'honorer sa mémoire par vos vertus.

— C'est en faisant regretter cette femme céleste que j'honorerai sa mémoire... Qui ne sait

155

pas l'empire absolu qu'elle avait sur moi ? Qui ne sait pas à quel point elle avait changé mon caractère ?... On verra ce qu'on a perdu en perdant cet ange tutélaire. J'associerai toutes les âmes à ma douleur sans mesure ; le Portugal entier la pleurera...

— Non, non, seigneur ; celui qu'elle aima doit obtenir l'amour universel...

— Celui qu'elle aima ne veut plus inspirer que la terreur et la haine [1]. N'en parlons plus. Alonzo, qu'avez-vous fait de son cercueil ?

— Il est déposé dans la cathédrale de Coïmbre.

— Me répondez-vous de la sûreté de mon fils ?

— Oui, seigneur. Il est toujours dans un asile ignoré, mais dans des mains fidèles.

— Allez veiller sur lui ; je vous confie ses jours et son éducation. Vivez, Alonzo, pour lui donner les vertus de sa mère ; c'est à lui qu'il appartient d'en retracer le souvenir... Je remplirai ma noire destinée ; mais je veux que l'enfant d'Inès soit aimé [2]. »

Alonzo, épouvanté de cet entretien, retourna à Coïmbre avec une peine de plus, celle de gémir

---

1. Ce prince, en effet, après la mort d'Inès, montra une férocité égale à son désespoir : ce fut lui qui, parvenu à la couronne sous le nom de Pèdre ou Pierre 1er, reçut l'affreux surnom de Pierre-le-Cruel.
2. Cet enfant par la suite monta sur le trône sous le nom de Jean 1er.

d'avance sur le sort des peuples que ce malheureux prince devait gouverner.

Dom Pèdre, à la tête de ses troupes, partit aussitôt et avec la rapidité d'un torrent dévastateur ;
il alla fondre sur les provinces dans lesquelles
étaient situées les immenses possessions de Pachéco et les terres de ses complices ; il les rava-
gea sans pitié, coupa tous les arbres, détruisit
toutes les cultures, abattit et brûla tous les châ-
teaux ; et sa rage, anéantissant l'abondance et
rendant inutile l'heureuse fécondité des champs,
ne laissa partout que des ruines et des cendres.

Tandis qu'il se livrait à tous les excès d'une
vengeance effrénée, Pachéco, instruit de ses fu-
reurs, faisait tous ses efforts pour déterminer le
Roi à faire marcher des troupes pour les opposer
à ce prince ; mais, dans ces entrefaites, le Roi,
frappé d'apoplexie, mourut subitement. Aussitôt
Pachéco, accompagné de ses complices, se sauva.
Ces scélérats eurent le bonheur d'arriver en Castille, où la Reine les suivit de près. Dom Pèdre,
en apprenant ces nouvelles, dirigea sa marche
vers Coïmbre. Là, il fit mettre le cercueil de sa
malheureuse épouse dans un char funéraire, sur
lequel étaient placés son fils et Alonzo. L'enfant,
d'une beauté ravissante, était dans les bras
d'Alonzo, vêtu de deuil ainsi que lui. Dom Pèdre
et ses principaux officiers à cheval escortaient le

char ; l'armée suivait. Ces guerriers, qui avaient acquis tant de gloire à la bataille gagnée contre les Maures, portaient tous leurs lances baissées en signe de deuil ; ils étaient couronnés de laurier et de cyprès, mêlant ainsi la douleur à la gloire, les larmes aux triomphes ; réunion qui dans tous les temps n'est que trop naturelle après de grands exploits militaires... Cette armée victorieuse et lugubre ne fit son entrée à Lisbonne qu'à la nuit. Par les ordres du nouveau roi, toutes les rues étaient illuminées et tendues de noir. A peu de distance des portes, le cortège passa sous un arc de triomphe éclairé par une multitude de cierges et de torches funèbres, et décoré de branches et de guirlandes de cyprès. Ce fut là que le clergé rejoignit le roi, et qu'il entoura le char ; ses hymnes religieux et funèbres rendirent plus frappante encore cette pompe extraordinaire et solennelle. Un peuple immense suivait dans un profond silence ce cortège imposant. Nul signe de réjouissance n'accueillit ce nouveau règne commencé sous de si noirs auspices... Nulle acclamation n'interrompit les tristes chants de la douleur et de la mort... La jeunesse du Roi, sa vaillance, son tragique malheur réunissaient sur lui tous les genres d'intérêt ; tous les cœurs étaient émus, et l'on éprouvait en même temps une espèce de saisissement qui ressemblait à la terreur. Cette

consternation universelle était l'unique hommage
qui pût plaire au Roi ; elle se trouvait en harmonie avec la situation de son âme à la fois abattue,
flétrie et bouleversée. La mélancolie n'était plus
pour lui que l'excès de la tristesse la plus noire,
et sa douleur qu'une irritation furieuse que la religion seule aurait pu apaiser : mais il repoussait
ce secours salutaire ; il ne voyait dans l'emporte-
ment de ses regrets et dans la férocité de ses res-
sentiments que la preuve d'un grand caractère,
tandis qu'au contraire la violence étant toujours
un abandon de la raison, nul degré de force morale ne peut se trouver dans la rage ; la force
héroïque, au milieu des situations désespérées, ré-
side tout entière dans la patience, le calme et la
modération. Le cortège se rendit à la cathédrale,
où le cercueil de la princesse fut placé sur un
superbe catafalque. Lorsqu'on eut célébré l'office
des morts, le Roi se retira précipitamment pour
aller se renfermer dans son palais. On lui demanda à quelle heure il recevrait le lendemain,
dans la salle du trône, les différents Ordres de
l'État qui viendraient lui prêter serment de fidélité ; il répondit seulement : « Après le couronnement de la Reine. » On eut bientôt l'explication
de ces étranges paroles. Le Roi fit donner l'ordre
de quitter le deuil pour le lendemain matin, d'or-
ner la cathédrale, de la décorer de caisses d'oran-

gers, et d'y préparer toute la pompe nécessaire au
« couronnement de la reine Inès ». On obéit avec
terreur. Le Roi, revêtu d'habits magnifiques, se
rendit à l'église ; son air sinistre et farouche alté-
rait la beauté de ses traits, et en effaçait la fraîcheur de la jeunesse ; il était impossible de soutenir son regard sans frissonner. Il fit ouvrir le
cercueil ; ensuite il dit d'une voix tonnante :

« Éloignez-vous ; un bras vengeur a seul le
droit de toucher les restes précieux de l'innocente
victime du plus exécrable forfait... »

À ces mots, il s'approche en pâlissant ; il jette
les yeux avec horreur sur ce corps inanimé, enveloppé de linceuls ; il hésite à lever le voile funéraire qui couvre ce visage défiguré dont il a tant
admiré l'éclat et la beauté... Tout à coup il se
ranime, ses joues se colorent ; il s'écrie avec le
transport le plus effrayant :

« Je veux m'enivrer de ta vengeance ! » et il arrache les linceuls qui cachaient cette tête adorée
devenue la proie de la mort, et qui n'a conservé
de tous les charmes dont la nature l'avait ornée
qu'une admirable et longue chevelure, qui se déploie et tombe sur le sein palpitant et déchiré de
son malheureux époux... Le roi éperdu enveloppe
le corps d'Inès dans un superbe manteau de drap
d'or couvert de pierreries, et l'assied sur un trône.
Alors, bravant la mort par une illusion insensée,

profanant la sainteté des autels par des impréca-
tions de vengeance, et dans l'orgueil du rang suprême et de la passion en délire, croyant pouvoir
donner de la grandeur au néant, il pose la couronne royale sur la tête de ce corps privé de la
vie, en faisant avec fureur le serment terrible de
déclarer sans délai la guerre à la Castille, si elle
refuse de lui livrer les assassins de son épouse...

Peu de temps après, ces scélérats lui furent li-
vrés par la Castille. Dom Pèdre déshonora son
amour, sa douleur et son règne par des vengeances atroces. Ce prince véritablement infortuné,
dont l'amour et le bonheur auraient pu faire un
grand homme, sera plaint de toutes les âmes sensibles car il sut aimer...

Achevé d'imprimer en octobre 1985
sur les presses de l'imprimerie Bussière
à Saint-Amand (Cher)

— N° d'imprimeur : 2832. —
Dépôt légal : octobre 1985.
ISBN 2.7158.0553.5
F2 6543